この本で紹介する簡単なステップを身につければ、
あなたは幸福感が増し、生活レベルが高まり、
人生のほとんどあらゆる分野が改善されるだろう。
さあ、あなたに何が起きるだろう⁉

アンソニー・ロビンズ

# 本書刊行によせて

本田 健

本書刊行によせて

# 私の人生を変えた「トニーの実践書」

本田 健
Ken Honda

7年ぶりに新しいトニーの本が日本で出版されるというニュースを聞き、とてもワクワクしました。トニーは、アメリカではスター級の講演者、カウンセラー、トレーナーです。何千人の前で、「情熱的に幸せな人生を生きる」ことを熱く語ります。彼の著書、プログラム、セミナーを受講して、何十万人という人が人生の変化を体験しています。

実は、私も10年前に、トニーの本と出逢い、人生が変わった一人です。彼の著書をむさぼり読み、講演のテープを暗記するほど聴きました。そのおかげで、私も複数の会社のオーナーとなり、育児セミリタイヤ生活を実現することができました。

彼は、その莫大な影響力の割には、著書が少なく、たったの4冊しかありません。そのすべてが膨大な量で、よほどのパワーがないと、読み切れません。その中でも、今回出版される『人生を変えた贈り物』(原題『Notes From A Friend』)は、簡潔かつ、すばらしくよくまとまっています。ふだん、本を読み慣れない人にも、簡単に読めるように、書かれているのです。

それも、そのはず。もともとは、感謝祭の時に、恵まれない家庭に、食糧と一緒にプレゼントするために、書かれたからです。私が、『幸せな小金持ちへの8つのステップ』という小冊子を100万部もプレゼントしたのも、このトニーの財団活動に刺激を受けたからです。

トニーは、自分のところにやってきた豊かさを縁ある人と分かち合うという生き方を実践しています。私も、彼の「与える生き方」にあこがれ、ささやかながら、自分でも行動してきました。その結果、与えることによって、人生は飛躍的に豊かになることを実感しています。与えると言っても、大げさなことをする必要はありませんので、ぜひ、試してみてください。

トニーは、人生を変える秘訣を本書では「11のレッスン」に分けています。私自身も、このレッスンをやることで、大きく人生が変わりました。たとえば、目標設定です。

そのひとつとして、「30歳までにリタイヤする」という目標を持ちましたが、不思議な形でかないました。フォーカスの力をつかって、自分が本当に欲しい物を明確にしたり、幸せな成功者が語る言葉を使うことで、人生を豊かにすることができました。彼のノウハウで、変わった分野をあげだしたら、きりがないほどです。

トニーの語る内容がすばらしいのは、確実に人生を変えていく力があることです。また、決して突飛なことをするのではなく、きわめて当たり前のことをやっていくのをすすめています。「夢を見よう！」「情熱的に生きよう！」という彼の語りかけの効果は、彼自身の人生で、十二分に証明されているでしょう。

　この本は、哲学書ではなく、実践書です。さあ、あなたも、一緒に、１００％のエネルギーで生きてみましょう。

装幀■フロッグキングスタジオ

# 目次

# この本について

ありがとう！

この本に投資してくれて、ありがとう。

自分の生活改善に関心を持つことで、あなたはすでに、周囲の人たちの生活改善にも貢献したことになる。アンソニー・ロビンズ・ファウンデーションはボランティア活動として、毎年、合衆国およびカナダ全土の恵まれない人たち一五万人以上に食料や教育の機会など、生活の糧《かて》を届けている。あなたの支払った金額は、この活動の支援に使われるのだ。

わたしがこの本を書いたのはずいぶん以前のことだ。執筆の目的は、同ファウンデーションが毎年おこなっている「バスケット部隊」キャンペーンの一環だったので、ごくシンプルな、親しみやすいものになっている。最初の何ページかを読んでもらえば、わたしにとって感謝祭がどれほどの意味を持っているか、わかってもらえるだろう。感謝祭は国をあげての祝日だが、わたしには個人的な思いがある。この日こそ、生まれて初めて、自分がこの人生で祝福されていることへの感謝の気持ちがあふれだし、ほかの人に手を差しのべたいという願いが生まれた日だからだ。

この本は、『人生を変えた贈り物』というタイトル通りのものだ。あなたのことを思っている誰かからヒントを得たいと思うなら、誰でも、いつ読んでもらってもいい。人生の根っこにある真実を忘れかけている人や、何であれ、今直面している試練に対処するためのアイデアと刺激を求めている人に、きっと勇気を与えることだろう。

皮肉なことにこの小さな本は、そのシンプルさからか、無料配布の対象である恵まれない人たち以上に、配布する側の何千人というボランティアの方にいつも人気がある。本当に成功して上質の人生を作りだすために、また、そうした人生を楽しむうえで必要な基本を忘れないためにと、この本を求める人が後を絶たないのだ。そういうわけで今回、この『人生を変えた贈り物』を改訂し、一般向けに出版することになった。これまでにわたしのセミナーを受講したことのある読者には、とりたてて目新しいことはないと思う。しかし、読んでくれた人にはある特別な効用がある。それは、すでに知っている内容でも、読みやすく使いやすいスタイルのこの本で読み直すことで、新しい見方が得られるということだ。また、わたしの本はこれが初めてだという人には、楽しい入門書となることを期待している。

わたしたちはつい忘れがちだが、誰にでも辛い時期はある。そういうときには、周囲のできごとや状況に対して自分が無力に思えてくる。あるいは、ただの無力感のことも多い。たとえば会社をリストラされただけで――まだ暮らす家があり、自分を愛してくれる人たちがいるのに――大きな喪失感を覚えてしまう。人生の試練がとてつもなく大きなものに思えて、周囲の人たちの挫折のことをつい忘れがちになる。

わたしたちは一人で生きているわけではない。上質な人生を送り、真に成功するためには、周囲の人たちの苦しみを知り、思いやりを学ぶことが不可欠だ。それによって自分の人生や、自分の苦しみに対してさえ、大きな感謝の気持ちがわいてくる。突き詰めれば、人生の豊かさを経験する唯一の道は、感謝の気持ちで生きることだ。自分が持っているもの、自分が与えることのできるものに感謝するという気持ち。幸福をたしかなものにする最善の方法は、ほかの人が幸せを経験する手助けをすることだ。

この本を読むことによって、あなたはすでに、大きな意味のあるものを与えている。バスケット部隊は食料以上のものを多くの恵まれない人々に届けているが、あなたはその「名誉隊員」として、この活動を分かち合っているからだ。この本は心の食料であり、恵まれない人たちが自分の人生を見つめ、人生を改善していく道筋を示すものだからだ。

助けの手を、ありがとう。この本によってあなたの人生の質が大きく改善することを、そしてそれ以上にあなたにも、ほかの人を助けたいという気持ちが湧いてくることを、心より願っている。

# イントロダクション　人生を変えた贈り物

ある年の感謝祭の日、若い夫婦は暗い気持ちで朝を迎えた。神からの贈り物に感謝する日なのに、ないもののことしか考えられなかった。「ごちそう」を楽しむ日だけれど、あれこれかき集めて貧しい食卓をかざるのが精一杯だろう。地元の慈善団体に連絡すれば、飾り付きの七面鳥も手に入る。でも、そうはしなかった。なぜかって？　多くの家庭と同じように、この夫婦もプライドがじゃまをしたからだ。とにかく、家にあるものでなんとかするしかなかった。

しかし状況は厳しく、挫折と失望から、ふたりのあいだには、思いやりのない、とげとげしい言葉が飛び交った。長男は、自分が誰より愛している人どうしが怒りを募らせ、暗く沈んでいくのを見ながら、無力感に打ちひしがれた。

そのとき、運命が顔をのぞかせた——不意に大きなノックの音がして、少年がドアを開けると、大柄な男がよれよれの服を着て立っていた。満面の笑み。抱えた大きなバスケットには、ありとあらゆる感謝祭の贈り物があふれんばかり。七面鳥、詰め物、パイ、スイートポテトに缶詰類など、お祝いのごちそうがすべてつまっていた！

驚く家族に、戸口の男は言った。

「あなた方がお困りだと聞いたある方からです。あなた方のことを愛し、気にかけている者がいることを知ってほしいのだそうです」

最初、一家の主はバスケットを受け取ろうとしなかった。しかし男は言った。

「わたしはお届けするように言われただけなのです」

男は笑顔でバスケットを少年の腕にあずけ、踵《きびす》を返し、肩越しに言った。

「感謝祭、おめでとう」

その瞬間から、少年の人生は変わった。永遠に。やさしさを示す、ほんの簡単な行為だったが、そこから少年は学んだ――希望は永遠に消えることはない。人は、まったくの他人のことでさえ思いやっている。

このときの感謝の気持ちは、少年の心を深く揺り動かした。少年は、いつか自分もこんな贈り物ができるようになろうと心に誓った。

そして一八歳になったとき、少年はその誓いを初めて実行した。自分で稼いだなけなしの金を持って食料品を買いに行った。自分のためにではない。その日の食べ物にも困っていると知った、二組の家族のためにだ。食料を届けるときには、わざと古ぼけたジーンズとTシャツを着て、ただの配達係としてプレゼントを手渡せるようにしていった。

一軒目は今にも倒れそうなあばら家で、応対に出たラテン系の女性は、疑うような目で少年を見た。子どもは六人、亭主は数日前に家族を捨てて出て行った。家にはまったく食べるものがなかった。

「お届け物です」

そう言うと少年は、車まで引き返し、袋や箱にあふれんばかりの食べ物を運び込み始めた。七面鳥、詰め物、パイ、スイートポテト、缶詰類……。女性が口をあんぐりと開いている横で、子どもたちは、家に運び込まれる食べ物を見て歓喜の声をあげた。

若い母親は、片言の英語しか話せなかったが、少年の腕をつかみ、キスの雨を降らせた。
「あなた、贈り物、神様から。あなた、贈り物、神様から」
「ちがうんです」と少年は言った。そして「ぼくはただの配達係です。友だちからこれを預かっています」と言いながら、メッセージを手渡した。

これは友人からのメッセージです。感謝祭を楽しんでください。あなたたちはそれにふさわしい人たちです。自分たちが愛されていることを知ってください。そしていつか、もし機会があれば、同じように誰かに贈り物をしてあげてください。

少年はさらに食料品を運び続けた。興奮と歓喜と愛は最高潮に達した。家をはなれるときには、連帯と貢献の気持ちから、涙があふれた。走り去りながらふり返り、手助けさせてもらった家族の笑顔を見た少年は、自分のストーリーがぐるりとひと回りしたことに気がついた——子どものころのあの「悲惨な日々」は神様の贈り物だったのだ。あの日からずっと、人に尽くすことで満足を得る人生へと導かれてきたのだ。

その日から今日まで、少年は大きな目的を持った旅を続けている。その目的とは、自分と家族に届けられた贈り物を別の誰かに届けること、そして思い出してもらうことだ――辛い状況を変える道は必ずある。あなたたちは愛されている。簡単なステップと、ほんの少しの理解と、たゆまぬ努力によって、どんな試練でも、それを価値ある学びのチャンスに変え、人としての成長と長い目で見た幸福を実現することができる。

ここで読者は疑問に思うだろう。なぜこの少年と家族のことをこれほど詳しく、しかも行動だけでなく心の動きまで語れるのか、と。

その答えは、**わたしがこの少年だからだ**。

わたしがこの本を書いたのは、あなたのことを気づかう者がいることを知ってほしいからだ。今の状況がどれほど苦しく救いのないものに思えても、それを変える道は必ずあることをわかってほしい。かつての夢を実現させることだってできるのだ。

だが、どうやって？

それにはこの本を読んで、あなたの中に眠っているパワーを引き出すことだ。それも今すぐに。あなたの中に眠っているパワーは、文字通り一瞬にして、あなたの人生のすべてを変える能力を秘めている。あなたはただ、**そのパワーを解放する**だけでいい。

どうしてそれほど自信を持って言えるのか、と思うだろう。理由は簡単だ。わたし自身が、このパワーを使って自分の人生をがらりと変えたからである。ほんの二〇年あまり前、わたしは苦しみ、完全に挫折して、ほとんど何の希望も持てずにいた。カリフォルニア州ヴェニスの小さな独身者用アパートで孤独に暮らし、二〇キロ近くも肥満状態だった。将来への何の計画もなかった。生まれつき運が悪いのだ、自分ではどうしようもないのだと感じていた。経済的にも破綻し、心も破産状態だった。無力感と孤独感に打ちひしがれていた。

しかし、はっきり言おう。わたしは一年以内にすべてを変えた。まず三〇日で約一四キロの減量を達成した。しかもそれ以後は、もう太ることはなかった。単なるダイエットではなく、心の持ち方を変えたからだ。体も鍛えて、ピーク時の体調を取り戻した。辛い時期を耐え、夢だった目標を達成するのに必要な、自信を取り戻した。

わたしの秘密は、まわりの人たちの求めるものに気持ちを集中することだった。つねに、どうすれば人々の生活に価値あるものを加えられるか、と自問し続けた。この思考プロセスを通じて、わたしはリーダーになった。そして早い段階から、人が変わる手助けをするためには、まず自分が変わらなければならないことに気がついた。与える人生をめざすだけでなく、実際に人に何かを与えられるようになるためには、まず自分がすぐれた人物にならなければならない。

こうして自分を大きくする過程で、わたしは夢のような女性の心を射止め、結婚し、父親になった。食うや食わずの生活から、一年足らずで、一〇〇万ドル以上の資産を持つ身になった。おんぼろアパートを出て、現在の、太平洋を見下ろす九〇〇平方メートルの豪邸に移った。

　だが、わたしはそれで満足などしなかった。自分で自分を助けられることを証明したらすぐに、今度は、どうすればもっとも深いところで人を手助けできるかを探し求めた。光速の変化を起こせるような、そんな理想のモデルを探し始めた。わたしは、世界でもトップクラスの教師やセラピストを選んだ。そうした「ピーク・パフォーマー」といわれる人たちは、ふつうなら二、三年かかるところを、一回か二回のセッションで問題を解決して、多くの人たちを助けていた。わたしはスポンジのようにできる限りのことを吸収し、教わったことをすぐさま自分のケースに応用していった。そしてやがて、独自の戦略や理解を作り上げていった。

　それ以来わたしは、学んだテクニックを使って世界四二ヵ国、一〇〇万人以上の人たちと関わり、さまざまな「ツール」を提供し、コーチングをして、人々が人生を大きく変えていくお手伝いをしてきた。しかも幸運なことに、その過程で実にさまざまな人たちと巡り会った。出会いの機会は肉体労働者《ブルーカラー》から各国の王侯《ブルー》貴族《ブラッド》まで、一国の大統領《プレジデント》から企業の社長《プレジデント》、ＰＴＡの会長《プレジデント》まで、さらには映画スター、プロスポーツの選手やチーム、母親と子ども、医者やホームレスの人たちにまでおよんでいる。それ以外にも、書籍やテープ、セミナー、テレビ番組などを通して、文字通り数千万以上の人々にメッセージを届けてきた。そして目標はつねにただ一つ――人々が自分の人生を自分でコントロールし、今すぐ人生の質を向上させてくれることだ。

こんな話をするのは、自慢したいからではない。あなたの心に、ものごとはあっという間に変わるということを刻み込みたいからだ。それには、自分の思考や感情や行動を形づくっているものが何かを理解するだけでいい。それがわかれば、あとは着実に、知的に、猛烈に行動するだけだ。本書を通じて、わたしはあなたのコーチ役を買って出よう。必ず、あなたの望む通りの変化を起こしてみせる。

## ポジティブ思考だけでは人生は変わらない

人間なら誰でも夢を持つはずだ。誰だって、自分を特別な存在だと思いたい。

この人生で、ほかの人とは違うことをしたいし、家族や友人や世間の人たちに特別な影響を与えたい。人生のある時点になれば誰もが、自分の本当に欲しいもの、自分に本当にふさわしいものを思い描くはずだ。

しかし多くの人が、人生の試練に直面すると、そうした夢を忘れてしまう。大きな目標を横におき、未来を形づくるパワーが自分にあることを忘れ、自信と希望を失っていく。

わたしの人生の目標は、そんなすべての人に――わたしやあなたと同じ人たちに――自分の持っているパワーを思い出してもらうことだ。そのパワーがあれば、どんなことでも変えていける。ふだんはそのパワーを眠らせているだけだ。**そのパワーを呼び覚ませば、今日からでも夢を蘇らせることができる。**本書で示すいくつかの簡単なツールを使えば、現実にそれが起こるのだ。

もちろん、ポジティブ思考は出発点としてはすばらしい。状況がいかに悪いかよりも、どうやってそれを好転させるかという解決策に集中した方がいいに決まっている。しかし、**ポジティブ思考だけでは人生は変わらない。**それなりの戦略が必要だし、今日一日何を考え、何を感じ、何をするのかについて、段階をふまえた計画が必要だ。

人はみな、毎日の生活でこれを変えたい、改善したいと思っているものがあるはずだ。そして、そうした望みはほぼすべて、次の二つのカテゴリーのどちらかに分類できる。つまり、状況に対する**感じ方を変えたい**か、自分の**行動を変えたい**かだ。ここで「感じ方を変える」とは、たとえばもっと自信を持ちたい、恐怖心を克服したい、挫折感をぬぐいさりたい、幸福感を得たい、過去のことに悩むのをやめたいということだし、「行動を変える」とは、喫煙や飲酒をやめたい、優柔不断な態度を改めたいなど、行動パターンを変えたいといったことだ。しかし大きな問題は、誰もがこのような変化を起こしたいと思っているのに、**ほとんどの人が、どうすればその変化が起こせるか、どうすればそれを持続できるかを知らない**という点にある。

わたしはこの本で、あなたが、ポジティブな変化が起こり続ける方向へスタートを切れるよう、お手伝いをしたい。この小さな本だけで世界ががらりと変わる、とまでは言わない。しかし、以下のページで学ぶシンプルなステップを使えば、あなたはまちがいなく、自分の人生を自分でコントロールし、人生の質を向上させられるようになる。そしてさらに、あなたの家族や友人たちをも助けることができる。わたしはそう約束しよう。

こうした変化は今すぐにでも起こせる。そのために必要なことはただ一つ、**できると信じる**ことだ。過去は問題ではない。これまでダメだったからといって、それは今日これからすることとは無関係だ。**今日することが明日からの運命を形づくる。**今すぐ、自分自身の友人になろう。起きてしまったことで自分を責めてはいけない。問題にではなく解決策に、今すぐ気持ちを集中しよう。

新しい人生の旅を始めてみたいなら、さあ、始めよう。これから人生は変わっていく。まず最初は、こんなケースからだ――。

# レッスン1　押しつぶされそうな状況を一変させる

人生では、自分ではどうしようもないことがよく起こる。会社からのリストラ、夫（妻）との別離、家族の病気、身近な者の死……。政府が福祉予算を削ったために生活できなくなるケースだってある。そんなときは、自力で状況を好転させられるとは、とても思えないだろう。

もちろん、なんとかして仕事を見つけよう、家族を助けよう、あるいは心の友を見つけようと努力はするだろうし、せめて気持ちだけでも明るく持とうとするだろう。しかし、なかなか結果はでない。新しいアプローチを試し、ベストを尽くしても目標が達せられないと、やがてチャレンジそのものを恐れるようになる。それはそうだろう、誰でも辛いことは避けたい。失敗を繰り返したくはないし、全力を尽くしても失望するだけというのでは、誰だっていやになる。何度も失望を経験していれば、そのうちにチャレンジ自体をやめてしまう。もう何をしてもムダだ、と信じ込むようになる。

もしあなたがそんな状態に陥ってしまうと、あなたはもうそれ以上努力しなくなる。自分ではどうにもならない、もう絶望的だと思い込んでしまう。

だが幸いなことに、その考えは間違っている。状況を変えることはできる。認知と行動を変えれば、人生のどんなことでも、今日からでも変えることができるのだ。


わたしは決して落ち込んだりしない。うまくいかない方法を一つ捨てるたびに、また一歩前進しているのだから。

——トーマス・エジソン

人生を一変させる第一歩は、自分には何もできない、自分は無力だというネガティブな思い込みを捨てることだ。

でも、どうすれば？

人が「〜ができない」というときは、以前にやってみてうまくいかなかったから、という場合がほとんどだ。だがここで、この言葉を心に刻んでほしい。わたしが生涯、繰り返し繰り返し語ってきた言葉だ。

**あなたの過去は、あなたの未来と同じではない。**

問題は昨日どうだったかではなく、今この時に何をするかだ。それなのに、バックミラーを見ながら未来へ向かって車を走らせる人が多すぎる。これでは事故が起こって当然だ。状況を好転させるためには、今日することに焦点《フォーカス》を当てなければいけないのだ。

## 忍耐は必ず実を結ぶ

「成功しようとして何百万回と試してみたがダメだった」「何千通りもの方法でやってみたんだ」などと言う人は多い。だが考えてほしい。そう言う人たちは、実際には百通りはおろか、数十通りの方法も試してはいない。なんとか状況を変えようとするのは七、八回、せいぜい一〇回くらいまでで、それでうまくいかないと、ほとんどの人はあきらめてしまう。

成功への鍵は、自分にとって何がいちばん大切なのかをはっきり決めること、決めたら毎日、少しでもよくなるように猛烈に行動することだ。たとえうまくいきそうもないと思えたとしても、である。

例をあげよう。「ケンタッキー・フライド・チキン」のカーネル・サンダースを知っているだろうか。もちろん知っているはずだ。では、カーネル・サンダースがあれほどの大成功を収めた理由は知っているだろうか。「生まれたときから金持ちだったから」「家族が大富豪だったから」「ハーバードのような一流大学に行かせてもらったから」「ごく若いうちに事業を始めたから」……。このなかに正解があるだろうか。

答えはノーだ。カーネル・サンダースが夢を実現するために行動を始めたのは、なんと六五歳のときだった。そんな歳になって、サンダースを行動に駆り立てたものは何だったのだろう。

当時のサンダースは失意と孤独の中にいた。初めて受け取った社会福祉の金額は一〇五ドル。その小切手を見てサンダースは怒り狂った。だがサンダースは、社会に恨み言を言ったり議会に抗議の投書をしたりはしなかった。その代わりに、自分自身に問いかけてみた。

**わたしは世の中の人たちのために何ができるだろう。どうすればお返しができるだろう。**

サンダースは、自分が持っているもののなかで、世の中の役に立ちそうなものはないかと考えてみた。そして最初に浮かんだ答えは、「そうだ。このチキンのレシピはみんなが気に入ってくれている。このレシピをあちこちのレストランに売ったらどうだろう。それならお金になるかもしれない」

だが、すぐに考え直した。「それはダメだ。レシピを売るだけでは家賃も払えない」。そして新しいアイデアがひらめいた。「レシピを売るだけでなく、正しいチキンの調理法を実演したらどうだろう。チキンがうまくできればレストランの売り上げが伸びるだろう。チキンで客が増えて売り上げが伸びれば、その分の何パーセントかはもらえるだろう」

この程度のアイデアなら、思いつく人は多い。だが、カーネル・サンダースの場合はそれだけではなかった。すばらしいアイデアを考えるだけではなく、それを実行に移した。サンダースはレストランのドアを叩き、オーナーに自分のアイデアを説明して回った。「すばらしいチキンのレシピがあります。これを使えば売り上げが伸びるはずです。伸びた分の何パーセントかをわたしにください」

だが、ほとんどのレストランはサンダースを鼻であしらった。「わかったよ、じいさん。とっとと帰ってくれ。その間抜けな白いスーツはいったい何なんだ?」

サンダースはあきらめただろうか。もちろんノーだ。サンダースは成功への最大の鍵を持っていた。わたしはそれを**パーソナル・パワー**と呼ぶ。パーソナル・パワーとは、**決してあきらめずに行動を続ける能力**のことだ。何かの行動を起こせば、そこには必ず学ぶものがある。そこから道が開け、次にはもっとうまくできるようになる。カーネル・サンダースも、もちろんパーソナル・パワーを使った。さっきのレストランは自分のアイデアを採用してくれなかったと落ち込むのではなく、すぐに気持ちを切り替えて、どうすれば次のレストランではもっと効果的に売り込めるだろうか、いい結果を出せるだろうかということに集中したのである。

あなたはカーネル・サンダースが、望みの返事がもらえるまで、何度チャレンジしたかご存じだろうか。なんと、**一〇〇九回断られて一〇一〇軒目でようやく採用されたのである。**

二年間、来る日も来る日も、古いおんぼろ車でアメリカ中を駆けめぐり、あの白いスーツを皺《しわ》だらけにして後部座席で眠り、朝になって目を覚ますと、また新しい誰かに必死で自分のアイデアを売り込んだ。食事といっては見本用のチキンをひとかじりするだけ、ということもしばしばだった。そんななかで一〇〇九回、二年間もノーという返事を聞き続けられる人がどれほどいるだろうか。ほとんどいないと言っていいはずだ。だからこそ、カーネル・サンダースは一人しかいないのだ。大半の人は二〇回も続かない。ましてや百回、一千回と続けられる人などまずいない。しかし、成功のためにはそれが必要なこともあるのだ。

大きな成功を成し遂げた人たちを見ると、共通の形跡が残っていることに気づく。それは、拒絶されても絶対に投げ出さないこと、ノーと言われても決してあきらめないことだ。成功する人は、何があっても自分の夢、自分の目標を実現しようとする。

ウォルト・ディズニーは、あの「世界でいちばん幸せな場所《ディズニーランド》」を作ろうとしたとき、その夢への資金提供を、実に三〇二回も断られた。どの銀行からも、頭がおかしいと思われた。だが、そうではなかった。ディズニーにはビジョンがあった。そして何よりも、夢を実現するという固い意志があった。現在では数百万、数千万もの人々が、あの「ディズニーの喜び」のなかで、この世に二つとない世界をわかち合っている。その世界は、一人の人物の決意によって実現したものなのだ。

みすぼらしい狭いアパートに住み、浴槽で食器を洗っていたころのわたしは、こうした人たちの話を思い出せと、つねに自分に言い聞かせていた。**どんな困難**

**も永遠に続きはしない。辛いことでも一生続くことはない。今の苦しみも必ず過ぎていく。それには猛烈に、ポジティブに、そして明日につながる行動を続けることだ。**

また、いつもこう考えた。「今のわたしの人生はとてもひどいものに思える。でも、感謝すべきことだってたくさんある。二人も友だちがいる。五体満足だ。それに、こうして新鮮な空気が吸えているじゃないか」

そしてつねに、自分の望むものに気持ちを集中しよう、問題よりも解決策に焦点を当てよう、と思うようにした。辛いことでも一生続くことはない、たとえ今はそう思えても、そんなことは絶対にない。

そして、わたしは心に決めた。もう、経済的に困難だからとか、感情面で落胆したからといって、人生すべてが台なしになったとは決して考えない。自分が悪いのではない。たとえて言うならば「嵐に遭遇している」だけだ。これまでに蒔いた種を育てていけば――つまり、正しいことを続けていけば――やがてこの嵐は去り、空一面に虹がひろがる。何年も続けた一見無意味な努力が実を結び、収穫できるときが来るはずだ。

さらに、こうも考えた。まったく同じことを繰り返しているのに違った結果を期待するのは愚の骨頂だ。何か新しいことを試してみよう。求める答えが見つかるまで、つねに新しい方法でチャレンジを続けよう。

わたしのメッセージはシンプルだ。そして、あなたはそれが事実であることを知っているはずだ。**猛烈な、一貫した行動を続けていけば、そして柔軟な感覚で目標を追求し続ければ、最後には必ず望みのものが手に入る。**

そして、**「解決策がない」という感覚だけは絶対に捨てよう。**今すぐ、小さなことでもいいから、今日からできる行動に気持ちを集中しよう。

ここまでの話は、十分納得できるものだと思う。だが実際には、誰もがナイキのJust《ジャスト》 Do《ドゥ》 It《イット》（ただやるだけさ）キャンペーンよろしく、すぐに行動を起こしているわけではない。なぜだろう。それは、失敗を恐れる気持ちから、心を閉ざしているからだ。しかし、わたしは失敗についてすばらしいことを発見した。それは――。

# レッスン2　人生に失敗などない

今こそ決断のときだ。もう二度と敗北感や抑鬱感に浸ることはしないと、今すぐ自分自身に誓おう。わたしはなにも、試練を前にして現実から目をそむけろと言っているのではない。ただ、ここで理解してほしいのは、敗北感や抑鬱感を持っていると、まさにその感情が邪魔をして、人生を変えるために必要な行動がとれなくなるということだ。たとえ今の状況がどうしようもないものに思えたとしても、必ず事態を好転させることができると信じよう。問題や失望や挫折は誰にでもある。だが人生を形づくっていくうえでは、**そうした停滞期にどう対処するかということこそが、何にもまして大切だ。**

この原理を行動に移した、すばらしい実例を紹介しよう。今から三〇年以上前、ある若者がミュージシャンを志し、高校を中退して音楽活動を始めた。しかし、何の経験もない高校中退者にとって、音楽の仕事を見つけることは至難の業《わざ》だった。ようやくピアニスト兼シンガーとして場末のいかがわしい酒場をいくつか回るようになったが、全身全霊を込めて歌い演奏しても、酔いつぶれた客たちは、彼の存在にさえ気づいてはくれない。

このときの挫折感やみじめさを想像できるだろうか。若者は鬱病のようになり、情緒的にもすさんでいった。金がなくて、あちこちのコインランドリーで寝泊まりした。若者のただ一つの支えは、恋人の愛情だった。若者にとってその女性は、世界の誰よりも美しい人だった。

しかしある日、その女性もついに若者のもとを去っていった。人生が終わったと思った若者は、自殺を決意した。だが実際に自殺する前に、何かの助けになるかと思い、精神科の病院へ行ってみることにした。そしてその病院で、彼の人生は変わった。「治った」からではない。心の持ちようだけでものごとはこんなにも悪く思えるのかと、恐ろしくなったからだ——彼には、本当に重大な問題なんて何もなかったのだ!

そしてその日、もう二度とあんなみじめな気持ちにはならない、と若者は誓った。必要ならいくらでも、いつまででも努力して、必ずミュージシャンとして成功してみせる。絶対にできる。**誰に何をされても、どんなことが起こっても、そのために自殺する必要などない。人生はいつだって生きるに値する。いつも何かしら、感謝するべきことはある。**

こうして若者は努力を続けた。最初は何の成果もなかったが、最後には報われた。今日、彼の音楽は世界中に知れわたっている。

この若者の名は、ビリー・ジョエルといった。

あなたもわたしも、このことをいつも心にとどめておこう——**神の遅れは神の拒絶ではない。**人生に失敗などない。何かをやってみてうまくいかなくても、そこから何かを学び、その後の人生に役立てることができれば、それは本当は成功なのだ。

わたしには、長年の支えとしている言葉がある。

**成功は正しい判断の結果であり、正しい判断は経験の結果である。そして経験は、ほとんどの場合、誤った判断の結果である。**

あきらめずに続けよう。状況を好転させる努力を続け、「失敗」から学び続けていれば、いつかは必ず成功する。さあ次は、行動を起こすために必要なものは何かを考えてみよう。それは――。

# レッスン3

## もう立ち止まらない——決断のパワー

すでに何度も繰り返してきた通り、人にはいつでも人生を変えられるだけのパワーがある。では、そのパワーはどこからくるのか。どうすれば手に入るのか。新しい結果を手に入れるためには新しい行動が必要だ。それは誰もが知っている。だが、ここでわかっておいてほしいのは、あらゆる行動は決断から生まれるということだ。すなわち、**決断こそが変化を起こすパワーなのである。**

たしかに、人生のできごとをすべてコントロールすることはできない。だが、そうしたできごとについて何を考え、信じ、感じ、どのような行動をとるかをコントロールすることはできる。自分で認めるかどうかにかかわらず、人が生きているからにはつねに新たな選択があり、新たな行動があり、新たな結果がある。そしてすべては、ほんのわずかな決断にかかっている。

この選択のパワーは誰にでも備わっているのに、ほとんどの人がそのことを忘れてしまっている。だが突き詰めれば、**運命を決めるのは、人生を取り巻く環境**

**ではなく、その人の決断である。**

今日の生活は、すべてこれまでの決断の結果だ。誰と時間を過ごすか、何を学び、何を学ばないか、何を信じるか、何をあきらめ、何を追求するか、結婚するか、子どもを作るか、何を食べるか、タバコを喫うか、酒を飲むか、どんな人物になるか、どんな能力を身につけるか——すべてはあなたが決断してきたことであり、そうした決断のすべてが、これまでのあなたの人生を文字通りコントロールし、方向づけてきている。だから、もし心から人生を変えたいと願うなら、自分が何のために生きていて、これから何をして、何に全力投球していくのかについて、改めて決断することが、何より大切なのである。

ここでいう決断とは、本物の、意識的な選択のことだ。「少し体重を減らすことにしたよ」などと言う人は多いが、それでは曖昧《あいまい》すぎる。決断はもっと具体的なものでなければいけない。いま挙げた言い方は、単に希望を口にしただけ、つまり「少しやせたらいいのにな」と言っているだけだ。本物の決断をした人は、あとはそれに全力投球し、それ以外の可能性はすべて切り捨てる。決して振り返らず、あきらめるという選択肢など考えもしない。

そのような本物の決断が持つパワーを理解した人物の、すばらしい実例をあげよう。いちど決断したことを最後まであきらめなかったその人物とは、自動車やバイクで有名なあのホンダの創業者、ソウイチロウ・ホンダ（本田宗一郎）である。ホンダは、どんな悲劇や問題や試練が立ちはだかり、状況の急変があっても、ものともしなかった。ホンダの決断の前には、最大の障害でさえも、ゴールへ到達するためのハードル程度でしかなかった。

一九三八年、貧しい学生だったホンダの夢は、二輪用エンジンのピストンリングを設計、製造して、トヨタに売ることだった。昼は毎日学校へ通い、夜は夜でピストンリングの設計に取り組み、文字通り油まみれになって頑張った。なけなしの金をはたいて研究につぎ込んだが、それでもピストンリングは完成しなかった。最後には、妻の宝石を質に入れてまで開発を続けた。何年もかかってようやく、トヨタに買ってもらえると確信できるだけのピストンリングが完成した。しかし実際にトヨタに持ち込んでみると、見事に不採用となった。学校へ帰ると、ばかげたおもちゃを設計した間抜けな奴と、教師や同僚学生から嘲《のの》られた。ホンダは挫折しただろうか——もちろん挫折した。

意気消沈しただろうか——当然だ。

それで、あきらめただろうか——とんでもない！

それどころかホンダは、さらに二年をかけてピストンリングを改良したのである。彼は、成功の決め手となる方程式を知っていた。すなわち、

1、自分の望むものについて**決断**した。

2、**行動**を起こした。

3、うまくいくかいかないか、どういうときにうまくいかないかに**気づいた**。

4、つねに新しいアプローチを試してみた。取り組み方法を工夫する**柔軟性**があった。

5、さらに二年をかけて改良し、ついにピストンリングをトヨタに採用してもらった。

ホンダはピストン工場を建てようとしたが、そのためにはセメントが必要だった。だが当時は、日本政府が第二次世界大戦に突き進んでいた時期で、セメントはまったく手に入らなかった。ふたたび夢は潰《つい》えたかに思えた。助けの手はどこからも差しのべられそうになかった。では、今度ばかりはホンダもあきらめただろうか――もちろん、あきらめはしなかった。なぜなら、すでに工場を建てることを決断していたのだから。

ホンダは友人を集め、何週間もの間、夜を日に継いで研究を重ね、さまざまな方法を試して、ついに新たなセメント製造法を開発した。そして、それを使って工場を建て、ついにピストンリングの製造を開始したのだった。

## まだ終わらないホンダの試練

話はまだ終わらない。戦争中、合衆国の爆撃によって、工場の大半が破壊された。だがホンダは、打ちひしがれるどころか、従業員を集めてこう言った。

「急げ！　走っていって飛行機を見るんだ。飛行機から燃料の入ったドラム缶が落ちてくる。どこへ落ちるかを見てドラム缶を回収しろ。製造工程で必要な原材料が入っているぞ」

そうした原材料は、日本ではまったく手に入らないものだった。ホンダは、**人生が与えてくれるものは何でも利用する**ということを実践したのだ。

しかし最後には、地震で工場がつぶれ、ピストン工場をトヨタに売却せざるを得なくなった。だが、捨てる神があれば拾う神もあるはずだ。人生が差し出してくれる新しい機会を見逃さないように、いつも目を光らせておかなければ。

戦争が終わったとき、日本は混乱の極みに達していた。国中で物資が不足していた。ガソリンは配給制で、まったく手に入らないこともあった。ホンダは、家族の食料を買いに市場まで行くためのガソリンにも事欠くようになっていた。しかしここでも、敗北感や無力感をいだく代わりに、新しい決断をする。それは、決してこのままの生活に安住はしないという決断だった。

ホンダは自分自身に対し、大きなパワーを秘めたある質問をした。

「車で行く以外に食べ物を買ってくる方法はないだろうか。今ここにあるものをどう活用すれば市場へ行けるだろう」

ホンダは、手元にあった小さなモーターに気がついた。サイズも形式も、ちょうどアメリカの家庭用芝刈り機に使われているような旧式のもので、それを自転車に取りつけることを思いついた。その瞬間、最初の補助エンジン付き自転車が誕生した。

ホンダがその「バイク」を市場への往復に使いだすと、友人たちが、自分たちにも作ってくれと言いだした。するとすぐに量産が必要になり、モーターがなくなってしまった。そこで新しい工場を建てて自分でモーターを作ることにした。だが資金がない。日本は国中が焼け野原だ。どうすればいい……？

決断の瞬間にこそ、
運命は形づくられる。

——アンソニー・ロビンズ

「打つ手がない」と言ってあきらめる代わりに、ホンダはすばらしいアイデアを思いついた。日本中の自転車店主に手紙を書くことを決断し、「わたしは日本を立て直す方法を思いつきました。バイクは安価で、これに乗ればどこへでも行けます」と訴えた。そのうえで、投資を呼びかけたのである。

手紙を受け取った自転車店一万八〇〇〇軒のうち、三〇〇〇軒がこの呼びかけに応えてくれた。ホンダはその資金でバイクを製造し、ついに最初の出荷にこぎつけた。

しかし、それで大成功、とはいかなかった。このバイクは大きくてかさばったので、日本人にはほとんど売れなかった。そこでホンダは、またすぐに、何が悪いのかを考え、あきらめず、アプローチを変えて試してみた。バイクからムダな部品を取り省き、以前よりもずっと軽量、小型化した。それを「カブ」と名づけると、今度は「一夜にして大成功」を収めた。

のちに藍綬褒章を受けるまでになったホンダのことを、あんなアイデアを思いついて「幸運だった」と誰もが考えた。

ホンダは幸運だったのだろうか。そうかもしれない――もし幸運（LUCK）というものが、Labor Under Correct Knowledge（正しい知識の下での労働）を意味するのなら。

ホンダの興した会社は、今日では、世界でもっとも成功した企業のひとつとなっている。従業員は一〇万人、全米での自動車販売台数もトヨタに次いでいる。これもすべて、ホンダが決してあきらめなかったからである。どんな問題が起きても、どんな状況になっても、ホンダは決してくじけなかった。本当に全身全霊を傾ければ成功への道は必ず開けるという、**本物の決断をしたからである。**

## 本物の決断はすべてを変える

たしかに、生まれながらに恵まれた人たちはいる。両親が金持ちで、生まれつき環境に恵まれているとか、健康で強靭な肉体を持っているとか、周りがすべて世話してくれて何不自由なく暮らせるとかいった人たちだ。しかしそんな人たちでも、肥満に悩んだり、挫折したり、麻薬中毒になったりする例は数多い。

同様に、実際に会ったり、本で読んだり、評判を聞いたりするなかには、与えられた条件の限界を超えて、誰も予想しないような大成功を収めている人たちが大勢いる。どの人も、この人生でこれを成し遂げるのだという、新たな決断をした人たちだ。そういう人たちは、**人間の魂には無限のパワーがある**ことを如実に示してくれている。

だがいったい、こうした驚異的な人たちは何をしたのだろう。彼らはまず、人生のある時点で、自分は十分に恵まれていることを悟った。そのうえで、これからは最高の結果以外では絶対に満足しないと決めた。彼らは、人生を変える本物の決断をしたのである。

では、「本物の決断」とは何だろう。「本当に体重を減らすぞ」「もっと金をかせぐぞ」「いい仕事につくために何かするぞ」「酒をやめるぞ」などと口にする人は多い。だがたいていの場合、「〜するぞ」と言うだけで、ものごとは少しも変わらない。

**人生を変えるただひとつの方法は、本物の決断をすることだ。**本物の決断とは、必ず実現させると決めたこと以外、すべての選択肢や可能性を切り捨てるということだ。

本物の決断は、それ自体はとても簡単で、しかもパワーにあふれている。しかし、ではなぜもっと多くの人が、多くの機会にそれをしないのか。それは、たいていの人は、本物の決断がどんなものかを知らないからだ。ふつうの人は、「タバコをやめたい」「酒をやめられたら……」など、決断と願い事をごっちゃにしている。長いあいだ、一度の決断もせずにきたから、それがどんなものかを忘れてしまっているのである。

本物の決断をするときには、砂の上ではなくセメントの上に線を引くはずだ。自分の求めるものが何かも正確にわかっている。そうした明確さがパワーとなり、一層の努力を重ねるうちに、やがて、追い求めると心に決めた結果が手に入るのである。

不利な条件をはねのけて人生を好転させた人たちは、次の三つについて、強力な決断をした人たちだ。

1、何に焦点《フォーカス》を当てるのか
2、何が大切なことなのか
3、何をするのか

もうひとつの好例として、世界で初めて障害者自立生活センターを設立したエド・ロバーツの話を紹介しよう。車いすに縛りつけられた「ごくふつうの人」が、自分の限界を超えて行動するという決断によって、非凡な人物となった例だ。

ロバーツは、一四歳のときにポリオのために首から下が麻痺状態となり、毎日を人工呼吸器に頼る体となった。大方の予想を超えて、考えられる限り通常の生活を送れるようにはなったが、それでも夜は機械の肺を着けて眠る生活だった。何度となく死にかけたこともある。そんな状況では、自分の痛みに集中するという決断だってもちろんできたはずだ。だがロバーツは、人を助ける道を選んだ。

その後のロバーツの業績を少しだけ紹介しよう。彼は、障害者を差別するような世間の目と闘いながら、さまざまな点で障害者の生活の質を向上させた。人々を啓蒙し、車いす使用者のためのスロープや駐車スペース、さらには手すりの設置まで、あらゆる活動の先頭に立った。四肢麻痺の重度障害者としては初めてカリフォルニア州立大学バークレー校を卒業し、これも障害者として初めて、カリフォルニア州リハビリテーション局の局長になった。

ロバーツと同じような境遇の人は、ほかにもたくさんいたはずだ。しかし彼は、大半の人とは明らかに違うものに焦点《フォーカス》を当てた。ロバーツは、**どうすれば人の役に立てるかを考えたのだ。**

肉体的な困難はたしかに「障害」だった。そこでロバーツは、同じ境遇にいるほかの人たちの生活を少しでも快適なものにしようと決断した。そして、あらゆる身体障害者の生活の質を向上させられるように、全身全霊を打ち込んで環境を変えていったのである。

スタートの境遇が問題なのではない。自分はこうするのだという決断こそが重要なのだ。エド・ロバーツは、そのことをはっきりと証明している。そして、彼の行動の基盤となったのは、たったひとつの、強力な、全身全霊を傾けた、一瞬の、決断だった。さあ、本物の決断をすれば、あなたにはどれだけのことができるだろうか。

## 決断のときは今！

人類の進歩はすべて新たな決断から始まる。あなたが先延ばしにしているものは何だろう。生活を改善するのに必要だと思っているものは？

人によっては、タバコや酒をやめてジョギングや読書を始めることかもしれない。毎朝早起きして前向きな気持ちで一日をスタートさせる、でもいい。人の悪口を言わず、自分にできることを考えて生活を改善していく、という決断もあるだろう。誰にも負けない価値を身につけて転職する、というのもひとつの決断だ。新しいスキルを学んで金をかせぐとか、家族や友人にたくさん与える、などもいいだろう。

**今すぐ二つの決断をしよう。何があってもこれだけはやりたいというものを、二つだ。**

一つめは簡単な決断がいい。自分自身にも周囲にも約束できるもの、楽に実行できるものを選ぼう。そのような決断をして、それに従って行動することができれば、それは、あなたがもっと大きな決断でもできるという証明になり、「決断する筋肉」を鍛える第一歩となる。

二つめは、かなりの努力が必要だと思われるものを選ぶ。自分を奮い立たせるような決断をしよう。

選んだら、二つの決断を以下の空欄に書き込もう。家族や友だちにも、自分の決断を知らせるのがいい。そうすれば、自分の決断を実行できていることにプライドが持てて、努力が楽しくなるはずだ。

二つの大切な決断――この二つは必ず実行する！

1、『　　　　　　　　　　　　　　　　　』

2、『　　　　　　　　　　　　　　　　　』

決断を実行できるかどうかはあなた次第だ。そして、そのために必要な能力は

といえば――。

# レッスン4　信じる力を築き上げて、さあ飛びだそう！

あらゆる決断を左右する、「ある力」がある。その力は、生きている一瞬一瞬のあなたの考え方、感じ方に大きな影響を与えている。何をして、何をしないかを決定している。人生で起こるあらゆるできごとについて、その感じ方を決定している。

その力とは、**信じる力**《ビリーフ》である。

何かを信じているときの脳は、これこれの反応をせよという問答無用の指令を出している。

たとえばこんな経験はないだろうか。塩を取ってきてくれと頼まれてキッチンへ向かったが、「さて塩はあったっけ?」と思って探していると、戸棚のどこにも見つからない。そこで「塩なんてないよ」などと言うと、頼んだ本人がやってきてすぐ横に立ち、あなたの目の前を指さす。

「これはいったい何!?」

塩だ！　ずっとそこにあったのだろうか？　もちろんそうだ。では、なぜ目に入らなかったのだろう。理由は、あなたが、塩がそこにあると信じていなかったからだ。

人間は、信じる力《ビリーフ》を持ったとたん、今度はその力によって、見えるもの、感じるものがコントロールされるようになる。実際に、信じる力で目の色まで変わることをご存じだろうか。

『奇跡的治癒とはなにか』（邦訳：日本教文社刊）など、精神と肉体の関係を研究した著作で知られるバーニー・シーゲルによると、多重人格者について興味深いことがいくつも、科学的に確認されているそうだ。たとえば一部の多重人格者は、自分が別の人格になったと信じると、脳がある種の指令を出し、生化学反応までまったく変わってしまう。すると人格が切り替わるのに合わせて、実際に目の色まで変わるというのである。

信じる力は心臓の鼓動にまで影響する。ヴードゥー教を本当に信じている者は、「呪い」をかけられると本当に死んでしまう。呪いのためではなく、自分で自分の心臓に対して「止まれ」という問答無用の指令を出してしまうからだ。

では信じる力は、あなたの人生や周囲の人の人生に影響するだろうか。もちろんだ！　しかも、信じる力《ビリーフ》はとてつもなく大きなパワーを持っているので、何を信じるか——特にあなた自身について何を信じるか——に関しては、慎重に選ぶことが必要だ。

わたし自身、つねにいくつかの信じる力を持って生きてきて、それに何度も助けられてきた。そのうちのいくつかは、すでにこの本でもふれている。

・本当に全身全霊を傾ければ、事態を好転させる道は必ずある。
・人生に失敗などない。そこから何かを学べれば、それは成功である。
・神の遅れは神の拒絶ではない。
・過去と未来は一致しない。
・人生は新しい決断によって、いつでも、がらりと変えることができる。

こうした信じる力が、これまでのわたしの考え方や行動の方向を決めてきた。こうした力を借りて、わたしは大きな障害の数々を切り抜け、事態を好転させて、生涯の成功を作り出してきた。

信仰とは、まだ目にしていないものを信じることである。
そうした信仰の見返りは、信じるものが見えることである。

——聖アウグスティヌス

では、信じる力とは何だろう。本当ははっきりわかっていないのに、わかったつもりで語ってしまうことは多いが、この場合もそうだ。ほとんどの人は、信じる力を、何か実体のあるもののように考えている。しかし、それはまちがいだ。信じる力とは、何か意味あることについての「**たしかさの感覚**」のことだ。「わたしは自分が知的だと信じる」と言うときのあなたは、本当は、「わたしは自分が知的だとたしかに感じる」と言っているのだ。この「たしかさの感覚」によって、あなたは眠っている力を活用し、知的な行動をとって、望む結果を生み出すことができるのである。

わたしたちは誰でも、ほとんどあらゆることについて答えを持っている。少なくとも、周囲の人を通じて必要な答えに到達するだけの道筋はすでにある。だが信じる力がないために、言い換えれば「たしかさの感覚」がないために、自分の中にある能力を発揮できずにいるのだ。

信じる力というものを理解する簡単な方法として、その力を築く基礎となるレンガ、すなわち「考え」について検討してみよう。思い描いてはみるが本当には信じていない「考え」というのはたくさんある。たとえば、「愛情豊かだ」という考えを検討してみよう。一呼吸おいてから、自分に向かって「わたしは愛情豊かだ」と言ってみる。

ここで、この「わたしは愛情豊かだ」というのが単なる考えか信じる力かは、いま口にした、その言葉の中身を、あなたがどれほどたしかだと感じているかで決まる。「いや、それほど愛情豊かではないかな」と思うなら、それは、「愛情豊かだとは、たしかに感じられない」ということだ。

ではどうしたら、単なる「考え」を信じる力に変えられるだろうか。わかりやすいように、たとえでそのプロセスを説明してみよう。

「考え」を、脚が一本か二本しかないテーブルだと想像してほしい。そうすれば、なぜ「考え」が「信じる力《ビリーフ》」のようにしっかりしていないのかが、目に見えて理解できるはずだ。脚がそろわなければ、テーブルはじっと立っていることすらできない。

これに対して信じる力は、いわばしっかりと脚のそろったテーブルだ。だが、「わたしは愛情豊かだ」という言葉を本当に信じているとして、なぜそう言い切れるのだろう。それは、その考えを支えるだけの根拠があるから、言い換えれば、その「考え」を後押しするだけの経験があるということではないだろうか。そう、そうした根拠や経験こそが「脚」となって、あなたのテーブルをしっかりと支え、信じる力をたしかなものにしているのである。

では、あなたが、たしかに自分は愛情豊かだと感じられる根拠ないし経験には、どんなものがあるだろう。

誰かから、とても愛情豊かな人だと言われたからかもしれない。毎日、人を心地よく幸福な気分にするような、あるいは希望を与えるようなことをしているのかもしれない。周囲の人たちのことが好きで、自分が愛情豊かだと感じるだけで、他者への愛情があふれてくる人なのかもしれない。しかし、ここが肝腎なところだが、**こうした経験はどれも、あなたが支えとして活用しない限り、何の意味も持たない。**こうした経験は、あなたに活用されてこそ、テーブルの脚となって「考え」をしっかり支えることができる。そうなって初めて、あなたは、たしかさの感覚を得られ、自分が愛情豊かだと信じられるようになる。こうして「考え」は確固としたもの、すなわち信じる力となるのである。

信じる力がテーブルのようなものだということが理解できれば、どうすればそのテーブルを作れるのかが見えてくるし、テーブルを作り換えることだってできるようになる。だが、ここで大切なことがある。すなわち、わたしたちは、それを支えるだけの脚を見つけさえすれば、どんなことについても信じる力を作り上げることができてしまうのだ。

たとえば、あなた自身も十分な経験があるだろうし、厳しい状況をくぐり抜けた人たちをたくさん見てきているだろうから、その気にさえなれば、「人間は腐っている。ちょっとでも隙を見せればすぐにつけ込まれる」という信じる力なども簡単に作れてしまう。もちろんそんな信じる力など持ちたくはないだろうし、持っていても何もいいことはないのだが、こんな「考え」を支え、たしかにそうだと感じさせるだけの経験は、誰でもしてきているのではないだろうか。

しかし一方で、「誰でも根はいい人だ。心から大切に思い、ていねいに接してあげれば、向こうも喜んで助けてくれる」という「考え」を支えるだけの経験や根拠だって、あなたは持っているはずだ。

この二つのどちらが正しいかは問題ではない。それよりも大切な問題は、あなたがどちらの信じる力を選んでテーブルを組み立てるか、つまり**あなたがどちらを選ぶか**だ。そのとき鍵になるのは、あなたがどちらの力からパワーをもらえるか、あるいはパワーを奪われるかだ。

信じる力は巨大なパワーの源だ。**あなたは、自分自身について何を信じるかを自分で選ぶことができる。そしてその信じる力が、これからのあなたの行動を決定する。**大切なのは、あなたを支え、希望とエネルギーを与えてくれるような信じる力を選ぶことである。

今の自分に必要な信じる力を考えてみよう。「わたしは就職の面接でうまくやれる」だろうか。「わたしは悪い人間関係から抜け出すだけの強さを持っている」だろうか。「わたしはすばらしい人間関係を作るだけの気配りができる」だろうか。さあ、自分に今すぐ必要な信じる力を一つ以上、書き出してみよう。

わたしに必要な「信じる力《ビリーフ》」

『　　　　　　　　　　　　　　　　』

『　　　　　　　　　　　　　　　　』

なかには、「トニー。信じてみたけど、うまくいかなかったよ」と言う人もでてくるだろう。

だが、なぜ、うまくいかなかったと言い切れるのだろう。もう少し長い目で見ることが必要ではないだろうか。

こういう人には、中国の古い話が役に立つだろう。

ある農夫が一頭きりの馬に鋤《すき》を引かせて田を耕していたところ、その馬が逃げてしまった。村人が「災難だったな」と言うと、農夫は答えた。

「さあどうかな」

次の日、その馬が別の馬二頭を連れて帰ってきた。村人が「よかったじゃないか」と言うと、農夫は答えた。

「さあどうかな」

農夫の息子が新しい馬を馴らそうとして、落ちて脚を折ってしまった。村人が「これは災難だな」と言うと、農夫は答えた。

「さあどうかな」

次の日、兵士たちがやってきて、村中の男子を戦争にかり出したが、息子はけがをしていたので徴兵を免れた。村人が「お前は幸運だ」と言うと……。

さあ、農夫はなんと答えただろう。そう、「さあどうかな」だ。

このあとも、話はどこまでも続く。人生も同じだ。何かを信じてうまくいかなかったとしても、それだけで判断するのは早計というものだ。苦しいと思うときでも、実はそうではないのかもしれない。そのときだけの一過性のものかもしれないのだ。

そうしたときに賢明な判断ができるかどうかは、ほとんどの場合、あなたがどのような選択肢を思い描けるかにかかっている。その理由は……。

# レッスン5　求める現実にフォーカスを合わせる

多くの人は、自分の感じ方を変えたいと思いながら、その方法がわからずにいる。だが、感じ方を変えるのは簡単だ。**フォーカスの当て方を変えればいい**のだ。たとえば、今すぐみじめな気分になりたければ、これほど簡単なことはない。何かこれまでの人生で起こった辛いことを思い浮かべ、それに意識を集中するだけでいい。しばらくそのことを考えていれば、すぐにまた、みじめな気分になってくる。

それにしても、なんとばかばかしい！　みじめな気分になる映画を何度も繰り返して観たい人がいるだろうか。もちろんいない。それなのに、どうして心の中のみじめな映画を観に行くのだろう。

このことからわかるように、人は、ほんのちょっとしたことで、みじめな気分に滑り込んでしまうものなのだ。そこで、意識のフォーカス（焦点）をコントロールすることがとても大切になってくる。状況がどれほど厳しくても、今の自分にできること、自分にコントロールできることに気持ちを集中することが必要だ。

反対に、いい気分になりたければ、これもとても簡単だ。これまでの人生で幸せな気分になったこと、自分や家族や友人のことで、いい気持ちになれたことを思い出して、それに意識を集中するのだ。今日はこれに感謝できる、というものでもいい。あるいは、考えただけでもワクワクするような、夢のような未来にフォーカスを当てることもできるだろう。そうすることで、その夢を実現しようというエネルギーが湧いてくるはずだ。

わかりやすい例をあげよう。ビデオカメラを持ってパーティに行ったとする。そして一晩中、部屋の左の片隅で言い争っているカップルにカメラを向けていたとしよう。ふたりにフォーカスを当てているうちに、やがてあなたまで、イライラや不幸な気分に引き込まれてしまうだろう。ふたりの怒りに意識を集中したために、「なんて嫌なカップルだ。なんて嫌なパーティだ」と思うようになるはずだ。しかし同じ夜の同じパーティでも、部屋の反対側にフォーカスを当てていたらどうなっていただろう。部屋の右側では、大勢の人が集まって笑い合い、ジョークを言い合って、喧嘩するどころか大いに盛り上がっている。あとで誰かから「パーティはどうだった」と聞かれても、「ああ、とっても楽しかったよ」と答えられるだろう。

理屈は簡単だ。**目にするものは数限りなくあるのに、多くの人々は、つい嫌なこと、自分でコントロールできないことに気を取られてしまう**のだ。

## 正しい方向に意識のハンドルを切る

意識のフォーカスはなぜ大切なのだろう。それは、何にフォーカスを当てるかによって、世界がどう見えるか、あなたが何をするかが決まってくるからだ。ではフォーカスの当て方で、ものの感じ方までコントロールされるのだろうか？もちろんだ！　フォーカスの当て方ひとつで、文字通り命を救われることだってある。

たとえば、わたしはカーレースが大好きだ。ドライビング・スクールでのことだが、決して忘れることのできないレッスンがある。教官は言った。

「最初に覚えておいてほしいのは、スリップ状態からの脱出方法です」（余談だが、これはいいたとえだ。人生でも、思わぬスリップでコントロールが利かなくなるものだ）

教官の指示はこうだった。

「ポイントはとてもシンプルです。スリップし始めると、ほとんどの人は、いちばん怖いものに意識を集中します。つまり、壁を見てしまうのです。でもそうではなくて、自分の行きたい方向へ意識を向けなければいけないのです」

聞いたことがあるだろうが、田舎道をスポーツカーで走っていて突然コントロールが利かなくなると、周囲数キロには電柱が一本あるきりなのに、わざわざその電柱にぶつかってしまうケースが後を絶たない。理由は、車のコントロールが利かなくなったとたん、自分が避けたいと思っているまさにそのものにぴたりと照準を合わせてしまい、それを自分と結びつけてしまうからだ。つまり**人は、何であれ自分がフォーカスを合わせたものに向かっていく**のである。

「これからスリップの練習車に乗ります。コンピューターがついていて、このボタンを押すとタイヤが地面から離れてスリップ状態になり、コントロールが利かなくなります。でも決して壁を見ないで、**自分の行きたい方向に意識を集中してください**」

「わかりました。大丈夫です」

初めてコースに出たわたしが悲鳴をあげっぱなしのところで、教官はボタンを押した。まったく突然にスリップが始まり、コントロールが利かなくなった。そのときわたしはどこを見ただろう。そう、まさに壁を見ていたのだ!

最後の数秒間は恐怖でいっぱいだった。間違いなくぶつかると思った。しかしそのとき教官が、わたしの頭をつかんで左へねじり、強引に、進むべき方向を向かせた。スリップ状態は続き、もう激突だと覚悟を決めながら、頭をねじられたままの状態で、教官が示した方向だけを見続けた。その方向にだけ意識を向けていれば、自然、ハンドルもそれに合わせて切っていくしかない。これがぎりぎりのところで功を奏し、わたしたちはコーナーから脱出した。そのときのホッとした気持ちと言ったら！

少し横道にそれるが、この経験からはもう一つ、大いに役立つ教訓がある。それは、意識のフォーカスを変えたからといって、即座に方向が変わらない場合も多いということだ。これは人生でも同じではないだろうか。あなたが意識のフォーカスを変えてから、実際の経験がそれに追いついてくるまでには、たいていタイムラグがあるものなのだ。つい目先のことに意識を集中してしまい、じっくりと問題を解決できないのも、これが理由だろう。

しかし、話を戻そう。わたしはレッスンで学んだことをすぐに身につけた……わけではなかった。もう一度壁に向かって行ったときも、わたしは我を忘れてしまい、目標を見ろと教官から大声で怒鳴られてしまった。だが三回目には、自分で頭を回せた。それでうまくいくと思えたし、実際にうまくいった。今はスリップして「あっ！」と思っても、目線を自力で自分の望む方向に向けられる。するとと自然にハンドルが切れて、車がそれについてくる。

もちろん、意識のフォーカスさえコントロールしておけばなんでも成功するのかと言われれば、そんなことはない。だが、成功のチャンスは大きくなるかということなら、その通りだと言える。

　自分と結びつけて考えてみてほしい。問題が起こったら、その解決策にフォーカスを当てる。恐れるものではなく、望むもののある地点に意識を向ける——これを肝に銘じておこう。わたしも含めて、**人は、自分がつねに考えていることを経験する**のだから。

　フォーカスを変えること、新たな決断をすること、信じる力《ビリーフ》を変えること——こうしたことが一夜にしてできるようになるだろうか。もちろん、答えはノーだ。前にも述べたように、これは筋肉をつけるのと同じだ。急に筋肉もりもりのポパイになることなどありえない。なにごとも、少しずつしか起こらない。だが保証しよう。たとえわずかでも意識のフォーカスを変えれば、それだけで現実は大きく変わっていく、と。

　ここで、フォーカスを変えるための超強力なツールをお教えしよう。わたし自身、必ず夢を実現すると決断して以来、毎日使っているものだ。それは……。

# レッスン6　問題解決のためのクエスチョン

意識のフォーカスをコントロールする最良の方法は「質問のパワー」を使うことだ。ご存じだろうか。正しい質問をすることで、本当に命が助かることもあるということを。

スタニスラフスキー・レホの場合がそうだった。スタニスラフスキーはある夜、自宅に踏み込んできたナチによって、家族もろとも、クラコフの死の収容所へ送られた。家族は目の前で殺された。

衰弱し、悲嘆にくれ、飢えた状態で、朝から晩まで、収容所の仲間とともに重労働を課せられた。そんな恐ろしい状況で生き残れる者がいるだろうか。そんな生活をかろうじて続けていたスタニスラフスキーはある日、自分を取り巻く悪夢のような状況を見て、もう一日でもここにいたら死んでしまう、なんとしても脱出しなければならないと心に決めた。そして何よりも、これまで誰も脱走できなかったこの収容所だが、必ず逃げられると信じた。

スタニスラフスキーの意識のフォーカスは、どうやって生き残るかということから、「どうすればこの恐ろしい場所から逃げ出せるだろうか」という問いかけに変わった。いくら考えても、返ってくる答えは同じだった。「ばかなことを考えるな。脱走は不可能だ。そんなこと考えても自分で自分を苦しめるだけだ」だが、スタニスラフスキーはその答えを受け入れなかった。さらに自分への問いかけを続けた。「どうすればいい？　何か方法があるはずだ。どうすればここから逃げられる？」

ある日、答えがやってきた。スタニスラフスキーは、作業場のすぐそばから漂ってくる腐肉の臭いに気がついた。スタニスラフスキーは、裸のままトラックの荷台に積み上げられた老若男女の死体だった。ガス室へ送られ、そのとき彼の意識は、「神はなぜ、このような邪悪を許されるのか」という問いには向かわなかった。代わりに、「どうやって、この状況から脱出しようか」と自分に問いかけた。

太陽が沈み、作業班が宿舎へ引き揚げると、スタニスラフスキーは隙を見て衣服を脱ぎ、裸で死体の山に飛び込んだ。

スタニスラフスキーは死体を装って、胸の悪くなるような死臭にまみれ、死体の重みに押しつぶされそうになりながら、待ち続けた。やがて、トラックのエンジン音が聞こえた。しばらく走ったのち、死体の山とともに、野ざらしの墓場へ放り出された。さらに待ち続け、もう誰もいないと確信すると、スタニスラフスキーは死体の間から抜け出し、裸のままで四〇キロを駆け抜けた――自由へ向かって。

強制収容所で死んでいった数百万人とスタニスラフスキー・レホの運命を分けたものは何だったのだろう。もちろん、さまざまな要因があったことは明らかだ。だが一つたしかなのは、彼がほかの者とはまったく違う問いかけをしたことだ。しかも、繰り返し繰り返し、必ず答えが見つかると信じて問い続けたのである。

人は誰でも一日中、自分に問いかけているものだ。そしてその問いかけが、意識のフォーカスや考え方、感じ方をコントロールしている。

正しい質問をすることで、わたしの人生は一八〇度変わった。わたしは「なぜ人生は不平等なのだろう」とか「なぜわたしのプランはうまくいかないのだろう」といった問いかけをやめた。その代わり、**役立つ答えのでてくる質問をする**ようにした。

求めなさい。そうすれば、与えられる。
探しなさい。そうすれば、見つかる。
門をたたきなさい。そうすれば、開かれる。

――『マタイによる福音書』七・七

わたしはまず、問題解決のための質問を考えた。わたしはどんな問題が起こっても、次のような質問をすることで、その解決策を探し出すことができる。

## 問題解決のためのクエスチョン

1、この問題の「すばらしい点」は何だろう？
2、まだ「完全でない点」は何だろう？
3、望むような解決のために進んでしようと思うことは何だろう？
4、望むような解決のために進んでやめようと思うことは何だろう？
5、望むような解決のために必要なことをして、しかもそのプロセスを楽しむには、どうすればいいだろう？

答えにくい質問があったら、「〜そうな」という言葉を使うといいだろう。たとえば、「今の人生を楽しくしてくれそうなものは何だろう」といった具合だ。

これ以外にも、朝起きた時用と夜寝る前用の質問があって、毎日自分に問いかけている。これをすれば、その日一日をすばらしい気分でスタートし、明るい気持ちで終わることができるという超強力ツールだ。

## 朝のパワーアップクエスチョン

1、今の人生で「幸福なこと」は何だろう？　どんな点が幸福なのだろう？
そのことでどんな気分になれるだろう？

2、今の人生で「ワクワクすること」は何だろう？　どんな点でワクワクするのだろう？　そのことでどんな気分になれるだろう？

3、今の人生で「誇れるもの」は何だろう？　どんな点が誇れるのだろう？
そのことでどんな気分になれるだろう？

4、今の人生で「感謝できること」は何だろう？　どんな点が感謝できるのだろう？　そのことでどんな気分になれるだろう？

5、今の人生で「楽しいこと」は何だろう？　どんな点が楽しいのだろう？
そのことでどんな気分になれるだろう？

6、今の人生で「打ち込めるもの」は何だろう？　どんな点が打ち込めるのだろう？　そのことでどんな気分になれるだろう？

7、わたしは「誰を」愛しているだろう？　「誰が」わたしを愛してくれているだろう？　どんな点がわたしを愛情豊かにしてくれるのだろう？　そのことでどんな気分になれるだろう？

## 夜のパワーアップクエスチョン

1、今日は何を「与えた」だろう？　どんな点で与える側にまわっただろう？
2、今日は何を「学んだ」だろう？
3、今日はどんな点で人生の価値を高めただろう？　将来への投資として、今日をどのように使えばいいだろう？

こうした質問は、わたしの人生を何度も救ってきた。あなたの意識のフォーカスを、そしてあなたの人生を変えるうえでも、きっと役立つはずだ。

## すばらしい質問の贈り物

質問でパワーアップする方法は、一度覚えると、自分だけでなく、周囲の人を助けることにも役立つ。

以前ニューヨークで、ビジネス仲間でもある友人と昼食をとったときのことだ。彼は優秀なベテラン弁護士で、ビジネスを成功させたという面でも、若いころから築き上げてきた実績の面でも、わたしはこの友人を尊敬していた。だがその日の彼は、破滅的な打撃を受けたと感じて、ふさぎ込んでいた。法律事務所の共同経営者が姿をくらませてしまい、巨額の運営費をまかなえなくなっていたのだ。事態を好転させるアイデアは、ほとんど何も出てこなかった。

ここで思い出してほしい——ものごとの意味は、何に気持ちを向けるかで決まってくる。どんな状況でも、意識の焦点《フォーカス》の当て方ひとつで、明るい気分にも暗い気分にもなれる。そして、**人は必ず、自分の探しているものを見つける。**

問題は、この友人が間違った質問ばかりしていたことだった。「なぜこんな風に僕を捨てていってしまったのだろう」「心は痛まないのだろうか」「僕の人生がめちゃくちゃになることがわからないのだろうか」「僕だけではやっていけないことがわからないのだろうか」「もう仕事が続けられないことを、クライアントにどう説明すればいいのだろう」……。こうした質問はすべて、人生はもう破滅だということを前提にしたものだった。

この友人を手助けする方法はたくさんあったが、わたしは、いくつか質問するだけにしておこうと思った。そこで、最初は「朝のパワーアップ・クエスチョン」から始め、次に「夜のパワーアップ・クエスチョン」へと進むことにした。

最初はこうたずねた。「今、幸福に思っていることは何ですか？　いえ、間抜けで脳天気な質問に聞こえるのはわかっています。でも、本当に何か幸福に思えることはありませんか？」

最初の答えは、「何もないね」

そこでわたしは質問を変えた。「じゃ、もし、あ、な、た、が、望めば、今すぐ幸福な気分になれそうなことは何でしょう？」

友人は、しばらく考えてから答えた。「妻に関しては本当に幸福だね。今も本当によくしてくれているし、わたしたちは信頼し合えている」

「奥さんと信頼し合えていることを考えると、どんな気持ちがしてきますか？」

「彼女はわたしの人生で最高の贈り物だね。彼女は特別な女性なんだよ。わかるだろ」

こうして奥さんについて感じていることに意識が向き始めると、友人はとたんに明るい気持ちになってきた。

なんだ、ただ気をそらせているだけではないかと思われるかもしれないが、そうではない。彼は実際に明るい気持ちになっていったのだ。心の状態がよくなれば、ものごとに対処するうえでも、よい考えが浮かぶようになってくる。

そこで、奥さん以外に幸福に思うことはないかとたずねると、親くしている作家のことを話しはじめた。デビュー作の契約をまとめるのを手伝ったばかりで、その作家はとても喜んでいた、あのことは幸福に思うべきだろう。誇りに思ってもいいはずだ、ただ、そういう気持ちにはなっていないけれど……。

「もし誇りに思えたら、どんな気持ちがするでしょう？」

どんなにすばらしい気分になるだろうかと考えていくなかで、友人の感情に変化が起こり始めた。わたしはさらに質問を続けた。

「それ以外に誇りに思っていることはありますか？」

「息子と娘のことは本当に誇りに思っている。とても思いやりがあるし、しっかりと自立している。大人の男性、女性として、ふたりのことを誇りに思っているし、あのふたりが自分の子どもだということが誇らしい。わたしの財産だよ」

「自分がふたりを育てたのだと思うと、どんな気持ちがしますか？」

この質問で友人は――ついさっきまで、人生は終わりだと思っていたこの男性は――生き返った。

次にわたしは、いま感謝していることは何かとたずねた。友人は、駆け出しの苦しい時期を耐えて弁護士を続けられたことに本当に感謝している、ゼロからたたき上げてキャリアを築いてこられたこと、「アメリカン・ドリーム」を実践できたことに感謝していると答えた。わたしは質問を続けた。

「いま本当にワクワクしていることは？」

「実を言うと、**新しくやり直すチャンスが来たことで、ワクワクしている**んだよ」

ここで初めて彼は、この状況を新しいチャンスだと考えるようになった。心の状態が劇的に変わったからだ。わたしがさらに「あなたは誰を愛していて、誰から愛されているでしょう？」とたずねると、友人は家族のことを話し、自分たちがいかに信じ合っているかを滔々《とうとう》と語った。

この段階でわたしは、いちばんタフなことを質問をした。

「共同経営者がいなくなったことで、すばらしい点は何でしょう？」

「すばらしいかどうかわからないけれど、実は内心、毎日都心まで通うのにうんざりしていたんだ。コネティカットの家が好きなんだよ。それに、**いろいろなものを新しい視点で見られるようになった点はすばらしい**と思うよ」

ここから友人は、あらゆる可能性を考えて、コネティカット州の自宅から五分のところに新しい事務所を開くことを決断した。息子を呼び寄せて手伝ってもらおう、仕事の電話はマンハッタンからの転送サービスを利用すればいい。ワクワクしてきたよ。よし、今から新しい事務所の物件を探しに行こう！

　こうして、ほんの数分間のうちに、パワーアップ・クエスチョンは魔法のような力を発揮した。もちろん、この友人には、もともと立派な問題解決能力があったのだ。しかし、自分に向かって間違った質問ばかりしていたために無力感にとらわれ、自分のことを、築き上げてきたものをすべて失った老人だと思い込んでしまっていた。実際は人生からのすばらしい贈り物だったのに、正しい質問をするまでは、真実が見えていなかったのである。

　質問以外にも、人生を劇的に変える、すばらしいツールがある。それはフィジオロジィ（体の使い方）だ――体の使い方だって？　今度はそれを説明していこう……。

# レッスン7　体を使って、最高の自分を感じよう

感情が肉体に影響することは多くの人が理解しているが、その逆もまた真実だということをわかっている人はとても少ない。肉体的な動きは感情の動きに大きく影響する。両者を切り離すことはできない。

感情は体の動きによって作りだされる、ということをぜひ理解してほしい。動き方が変われば、考え方、感じ方、ふるまい方まで変わる。走る、手をたたく、跳ぶといった全身を使う活動から、顔の筋肉のわずかな動きまで、あらゆる動きが、体の化学反応に影響をおよぼすからだ。

たとえば、落ち込んでいる人がどういう風にしているか、考えてみてほしい。あるいは、落ち込んでいるときの自分がどんな姿勢をしているか、思い浮かべてもらってもいい。

落ち込んでいると感じるためには、体もそれなりの姿勢をとる必要がある。あなたは猫背になるだろうか、胸を張るだろうか——。答えは明らかだろう。

では顔は——うつむき加減だろう。
目線は——下だ。
呼吸は——浅くなっているはずだ。
つまり、落ち込むのにも、それなりの努力が必要なのである。わたしたちは、落ち込んだときにはこうするものだというパターンを、過去のある時点で練習して身につけている。これは誰にでも言えることで、マンガのチャーリー・ブラウンだってそうしている。
ここでおもしろいことがある。感情が肉体にどう影響するかという研究は昔からたくさんあるのだが、最近では逆に、肉体が感情に与える影響の方に多くの関心が集まっているのだ。なかには、気分のいいときに微笑んだり明るい気持ちのときに笑ったりする仕組みよりも、反対に、微笑みや笑いによって実際に気分がよくなっていく、そちらの生物学的プロセスの方が大切だと結論づける研究もあるほどだ。
実際に、微笑んだり笑ったりすると、脳への血流が増加する。それによって酸素レベルが変化して、脳のメッセンジャーである神経伝達物質への刺激レベルが変わり、気分がよくなっていく。

同じことはほかの感情についても当てはまる。恐怖、怒り、軽蔑、驚きなどの表情を作ると、その体の使い方の状態により、実際に恐怖、怒り、軽蔑、驚きなどを感じるのである。

わたしはずいぶん前に自分の人生を変えることができたが、そのときの重要な方法の一つが、体の動かし方や身振り手振り、話し方などを変えることだった。最初はばかばかしくて、ちょっと気取った感じもしたのだが、実際にやってみると、体の動かし方を変えるだけで、自分はこうありたいのだというメッセージが、自分の神経システムを通じて本当に脳へと送られていった。感情や心の持ち方が変わり、力強い考え方ができるようになった。行動も、パワフルで前向きで積極的なものになっていった。

ポイントは、不慣れな動きが自分のものになるまでは意識して丁寧にやる、ということだった。やがて、意識しなくてもできるようになった。もう演技ではなくなっていた。新しい動きが、心と神経システムの習慣になっていた。それも、パワフルで前向きなものに。

わたしはただ、それまでに見た、特別に自信にあふれた人たちの行動を真似ただけだった。そういう人たちと同じくらいの気持ちと熱意を込めて、真似る――それだけで人生が変わったのだ。しかも、周囲への説得力までついた。自分の人生だけでなく、友人や仕事仲間の人生にも、積極的な影響を与えられるようになったのである。

動き方を変えるだけで人生が変わるなんて、そんな単純なものではないはずだ――そう思われるかもしれないが、本当にその通りなのだ。体の動きが大きく変化すればするほど、日々の感情や行動も大きく変化する。試しにやってみればいい。こんど挫折感に襲われそうになったら、軽くジャンプして体をゆすり、それから深呼吸をして、意味もなく笑顔を作ったうえで、自分にこう問いかけるのだ。「このことですばらしい点は何だろう」「クレイジーな点は何だろう」「おもしろい点は何だろう」「これは一〇年経ってもまだ〈問題〉だろうか」

体の使い方と意識のフォーカスの両方を変えることで、あなたの精神状態はずっとよくなるはずだ。ものの見方が変わってくれれば、今あなたを苦しめていることに対して、ずっと効果的な対処ができるようになる。

あなたが、あんな風になりたい、と思う行動をしている人を思い浮かべてほしい。友人でも家族でも先生でもいい。あるいは俳優、ダンサー、講演者など、誰でもいいから、真似できそうなパワフルな役割モデルを見つけて、その人のことを思い浮かべるのだ。

でも、その人の動き方や話し方が正確にわからない場合はどうすればいいだろう。

大丈夫、いい方法がある。

たとえば、自分は花形のクォーターバックで、スーパーボウルでこの瞬間に、勝利を決めるタッチダウンを決めたと想像してみよう。さあ、あなたはどんな風に話すだろう。うつむいて前屈みになっているだろうか。とんでもない！　もう大いばりで、体全体から「俺は最高だ！」というオーラを出しているはずだ。そうなれば、感じ方もふるまいも変わってくる。間違いない。

ここまでで、誰かと同じ動きをすればその人と同じ気持ちになってくるということは、わかってもらえただろう。


さてここで、次のレッスンへ行く前に、今すぐ試してほしいことがある。立ち上がり、この本を読みながらでいいから、自分の目標や願い、人生で本当に実現させたいことを思い浮かべてみるのだ。

まずは、「実現してほしい」と考えてみよう。「〜してほしい」と思っているだけで、うまくいくかどうか確信のないとき、「うまくいったらいい」「だめにならなければいいのだが……」と思っているときのような立ち方で立ってみよう。呼吸はどうなるだろう。顔の表情はどうなっているだろうか。背筋の伸び具合は？　体重のかけ具合は？　「〜たらいいな」と思っているだけのときは、どんなものが目に浮かぶだろう。成功の場面と失敗の場面の両方が見えてくるだろうか。さあ、本を横において、今、実際にやってみよう。

次に、悩んでいる自分を想像してみよう。わざと、目標について悩んでみるのだ。しばらくでいいから、自分の体がどういう状態になるか、思い浮かべてほしい。手はどこにおこう。背筋の感じは？　体は緊張しているだろうか。呼吸はゆっくりだろうか、それとも息を詰めているだろうか。顔の筋肉はどうだろう。悩んでいるときの声は？　頭に浮かべるのは、単なる失敗の場面だろうか、それとも最悪のシナリオだろうか。

これも、実際に自分でやってみて、体がどういう状態になれば悩めるのかを、たしかめてほしい。

では今度は、悩みの状態から抜け出して、自信満々の感じを出してみよう。自分の目標のことを考えて、絶対に実現できると確信しているときの呼吸や立ち方をしてみよう。何の迷いもないときの立ち方はどんな風だろう。どんな姿勢になるだろう。この本を読みながらでいいから、自分をその立場においてみよう。呼吸はどうなるだろう。表情はどんなものがいいだろう。自分の望むものが達成できると信じているときの手の動きは？

さあ、今のあなたの姿勢はどうなっているだろう。「〜たらいいな」とか悩んでいるときとはまったく違っているはずだ。体重はどこにかかっているだろう。体のバランスはどうだろう。本当に自信のあるときは、地に足のついた、軸のしっかりした感覚があるはずだ。きっと失敗など考えもしないで、成功の場面だけを思い浮かべていると思う。

では、どうすれば毎日そんな気分になれるだろう。それには、成功している人を見つけて、その人の体の使い方をモデルにするのがいちばんだ。つまり、身振りや手振り、呼吸、歩き方などを真似るのである。そのうえで、精神的にも感情的にも最高の状態にあるときの自分を思い浮かべ、そのときの体の動きを手本にできれば、なおいい。そこまでできれば、これが単なるゲームではないことがわかるだろう。

あなたの脳や身体の細胞の一つひとつには、驚くような知性が組み込まれている。この方法は、それを活用するためのものだ。あなたは、成功している人の呼吸や動きという種を蒔き、その人たちと同じものを収穫することになる。

自信と成功と幸福の理想的なモデルに出会ったら、体の使い方だけでなく、その人たちの言葉にも耳を傾けよう。成功した人たちがどのように言葉を組み立てているかを知ることで、大切なものが学べるからだ。それは——。

# レッスン8　成功のためのボキャブラリー

何年か前、仕事上のあるミーティングで大いに目を開かれたことがある。そのときに学んだのが、すばらしい「**言葉のパワー**」だった。

それは三人でのミーティングで、直前に、別のある仕事仲間がわたしたちを不利に追い込もうとしていたことがわかった。わたしはその状況に動揺していた。腹を立てていたと言ってもいいと思う。

ひとりは怒りで顔を真っ赤にして、「絶対に許せない！」と吐き捨てるように言った。何もそこまで、と思ったので、なぜそれほど怒っているのかとたずねると、この友人は「心底から怒りをかきたてれば力が湧いてくる。そうすれば状況をひっくり返すことができるじゃないか」と答えた。

しかし、もうひとりの方はじっと座ったまま、こう言った。

「ちょっとヤダね」

わたしはこの言葉に驚いた。

「なぜ〈腹が立つ〉じゃなくて〈ちょっとヤダ〉なんだい？」

「頭に血が上ると自分をコントロールできなくなる。そうなったら相手の思うつぼだからね」

〈ちょっとヤダ〉――わたしは、こんな間抜けな言葉は聞いたことがない、と思った。これほど成功した人物が、どうしたらまじめくさった顔で、こんな言葉を使えるのだろう。

だが実は、この友人はまじめくさった顔などしていなかった。それどころか、わたしだったら気が変になりかねないこの話題を、ほとんど楽しんでいる雰囲気だった。この〈ちょっとヤダ〉は、彼にとっては絶大な効果のある言葉だったのだ。

しかも、わたしにも効果があった。この言葉を聞いてから、どういうわけか、少し気分が落ち着いてきたのだ！

そこで、自分でも試してみることにした。

ある出張でホテルへ着いたとき、たしかに予約したはずの部屋がとれていないことがわかった。部屋をおさえるのにずいぶん時間がかかったので、こう言ってみた。

「ねえ、あんまり長く待たされると〈ちょっとヤダ〉なあ」

フロント係は顔を上げ、とっさにどう反応していいかわからず、思わず笑顔を見せた。わたしも、つい笑顔になってしまった。

その後の何週間か、わたしはこの言葉を繰り返し使ってみた。するとそのたびに、このあまりの間抜けなセリフのおかげで、怒りや落胆を表現するときのパターンが崩れていくのがわかった。そしてすぐに、心のこわばりがとれていった。

この場合は、たった一つの言葉にすぎなかった。しかし言葉の使い方、特に、ある特定の言葉の使い方は、その人の考え方を左右する。考え方が左右されるということは、感じ方や行動がコントロールされるということだ。

「腹が立つ」「頭にきた」「もう我慢できない」などの言葉を使ったあと、あなたはどんな感情を持つだろうか。自分に対してどんな質問をするだろう。あなたの意識はどこを向くだろう。血圧だって天井知らずに上がってしまうのではないだろうか。

だが、「腹が立つ」の代わりに「ちょっとヤダ」と言えばどうだろう。ほかにも、「とても手が回らない」を「引っ張りだこだ」、「頭にきた」を「少しうるさい」、「イライラする」を「刺激されている」、「拒絶された」を「誤解された」、「もう我慢できない」を「少し気に障《さわ》る」などと言い換えていけば、また違った気分がしてこないだろうか。だまされたと思って一度やってみてほしい。

これも、ばかばかしいほど単純に聞こえると思う。言葉を変えるだけで簡単に感じ方が変えられるなんて！　だが実際に、言葉には、感じ方を変えてしまうだけのパワーがある。だからこそ、「わたしには夢がある」というキング牧師の演説や、「自分が国のために何ができるかを考えよう」というケネディの言葉は、何十年も前のものでありながら、今でもわたしたちの心を打つのだ。

言葉はわたしたちの感情を変える。しかしほとんどの人は、周囲の人との、あるいは自分自身との毎日のコミュニケーションのなかで、言葉をまったく無意識に使っている。ましてや、言葉が一瞬一瞬の考え方や感じ方に影響するなど、まったく思いもよらない。

たとえば「ミスだよ」と言われれば、それなりの反応をするだろう。しかし「間違いだ」と言われれば、もっと強い反応をするはずだ。ましてや「嘘つきだ」と言われたら――。

このように、たとえ本質的には同じことを言っていても、言葉の使い方ひとつで、あなたの考え方や感じ方は瞬時に変化してしまうのである。

## パワーをくれる言葉を集めよう

逆もまた真なりだ。気分を表す言葉を変えるだけで、幸せな気持ちを増幅することができる。

たとえば「まあまあだ」の代わりに「ゴキゲンだ」と言ってみよう。単に「おもしろい」というだけでなく「夢中だ」、「ＯＫ」の代わりに「最高！」、「そこそこいい」よりも「すごい！」と感じるようにしよう。単に「決めた」というよりも、「最後までやりぬく」の方がずっといい。

ではここで、ちょっと変わったボキャブラリーテストをしてみよう。

まず、嫌な気分のときに使う言葉を書き出し、次に、それぞれについて、これから代わりに使っていく新しい言葉を書き出してほしい。リラックスして、楽しみながらやってみよう。

**パワーをなくしてしまう古い言葉たち**

・ばかばかしい
・
・
・

**パワーをくれる新しい言葉たち**

・発見だ
・
・
・

**古い、手あかのついた言葉たち**

・興味深い

**新しい、ワクワクさせてくれる言葉たち**

・目を見張るような

・　・
・　・
・　・

きっと、すばらしい言葉がたくさん見つかったことだろう。参考として、わたしがこれまで耳にして拾い集めた言葉を紹介しておこう。

| ネガティブな感情や表現 | | ポジティブな言い換え語句 |
|---|---|---|
| ・腹が立つ | ⬇ | ・目が覚めた |
| ・落ち込んでいる | ⬇ | ・行動の前の静かな時期だ |
| ・絶望だ | ⬇ | ・実現が遅れている |
| ・恥をかいた | ⬇ | ・気づきがあった |
| ・臭い | ⬇ | ・少し香りがある |
| ・失敗した | ⬇ | ・学びがあった |

・失った ⬇ ・探している

・とても嫌だ ⬇ ・違いがある

今度は、毎日の経験にターボエンジンを付けてくれる言葉を書き出そう。「まあいいかな」というレベルの言葉を、ほんもののスパークプラグに変えていこう。こちらも、例を紹介しておく。

| ポジティブな感情や表現 | | さらにポジティブな言い換え |
|---|---|---|
| ・気づきがあった | ⬇ | ・やる気が出た |
| ・いかしている | ⬇ | ・ずば抜けている |
| ・とてもいい | ⬇ | ・最高だ |
| ・ラッキーだった | ⬇ | ・信じられないほど恵まれている |
| ・よかった | ⬇ | ・これ以上は考えられない |
| ・まあいい | ⬇ | ・すばらしい |

・スルドイ ⬇ ・爆発的だ
・賢い ⬇ ・天才だ
・おいしい ⬇ ・究極の味だ

新しい言葉を選んだら、すぐに使うようにしよう。単なる「時間つぶし」ではなく、「最高に楽しいこと」ができるようにするのだ。それでもうまくいかないようなら、さらにこんな方法もある——。

# レッスン9　メタファーで壁を打ち破る

「もう崖っぷちだ」

「壁が破れない」

「頭が破裂しそうだ」

「手詰まりだ」

「空振り三振、お手上げだ」

「宙に浮いているようだ」

「もう、あっぷあっぷだ」

「天にも昇る気分だ」

「袋小路にはまった」

「世界を背負っているように辛い」

「人生はボウルいっぱいのチェリーのようだ」

こうした表現に共通しているものが何かわかるだろうか。

ここに挙げたものはすべてメタファー、つまり「たとえ」、「比喩」だ。何かを表現するときに別の何かに「似ている」「〜のようだ」という言い方をすれば、それはメタファーを使っていることになる。メタファーはシンボルと同じで、簡単な表現で多くを語ることができる。人間はありとあらゆるものについて、自分がどう感じているかを表すのに、必ずと言っていいほどメタファーを使う。

「人生は戦いだ」というのと「人生はビーチだ」というのはどちらもメタファーだが、この世界についてまったく違う見方をしている。もし人生を戦いだと考えたらどうなるだろう。人生をそんな風に見れば、人間はつねに互いに争うものだと考えるようになるだろう。だが、人生をビーチだと言えば、人間はお互いに楽しく過ごせるものだと思えてくるだろう。

## メタファーを変えると世界が変わる

あらゆるメタファーの背後には必ず、その人が信じていることがシステム化されている。自分の人生や状況を表すのに何かのメタファーを選択するということは、同時に、そのメタファーを支える「信じること」を選択することでもある。だからこそ、この世界をどういう言葉で表すかについては、慎重に考えてほしい。この点は、言葉をあなた自身に対して使うときも、ほかの誰かに使うときも同じだ。

すばらしいメタファーを使っていると思えるのは、俳優のマーチン・シーンとその妻ジャネットだ。ふたりのメタファーは、「人類は一つの大きな家族」というものだ。その結果ふたりは、まったくの他人に対しても、深い思いやりと共感を持つことができている。

マーチンからは、人生が大きく変わったという感動的な話を聞かせてもらった。映画『地獄の黙示録』撮影中のことだったというから、かなり前のことだ。それまでのマーチンは、人生は恐ろしいものだと思っていた。それが今は、魅力にあふれたチャレンジだと思えている。現在のマーチンのメタファーは、「人生は神秘的なもの」だ。

何がマーチンのメタファーを変えたのか——それは強烈な痛みだった。撮影はフィリピンのジャングル奥深くで、強行スケジュールで行われた。寝苦しい夜を過ごし、翌朝目を覚ますと、強烈な心臓発作に襲われた。体のあちこちが麻痺し、感覚がなくなった。ベッドから転げ落ち、意志の力だけでようやくドアのところまで這っていき、かろうじて助けを呼んだ。

撮影隊や医師、さらにはスタント用のパイロットまでもが力を尽くし、マーチンを救急病院に運び込んだ。ジャネットも枕元へ駆けつけた。マーチンは時を追って衰弱していく。ジャネットは、夫が危険な状態にあることを受け入れようとはしなかった。なんとかして力づけなければと思い、明るい笑顔を作って言った。

「これは映画なのよ！　ただの映画なのよ！」

その瞬間、自分は大丈夫だと思った、とマーチンは語っている。声を出して笑うことはできなかったが、微笑むようになった。そして笑顔とともに、快復が始まった。

なんとすばらしいメタファーだろう。映画なら、人が本当に死ぬことはない。

映画なら、自分で結末を決めることができる。

ここまで読んできて「たしかにいい話だが、今は本当に八方ふさがりなんだ」という声が聞こえてきそうだ。構わない。それなら出口を探してドアを開ければいい。

「だが、世界を背負っているみたいに重苦しいんだ」。あなたはそう言うかもしれない。それなら、その世界を背中から下ろして歩いていけばいい。

あなたにとってこの世界はどんなものだろう。「試練」だろうか。「苦闘」だろうか。もしそれを「ダンス」に変えてみたらどうなるだろう。「ゲーム」ではどうだろう。「花園」では？

もし人生がダンスなら、それは何を意味するだろう。あなたにはパートナーがいて、優雅な動きがあり、調和がある。もし人生がゲームならきっと楽しいだろうし、ほかの人と一緒に楽しむチャンスもあるだろう。ルールがあり、勝者がいるはずだ。もし人生が花園だったらどうだろう。さまざまな美しい色、魅惑的な薫《かお》り、自然の美を想像してみよう。そんな花園なら、人生をもう少し楽しめるのではないだろうか。

では、人生を自分の望みどおりのものにたとえるには、何が必要だろう。それにはまず……。

# レッスン10　正しい目標設定が未来をつくる

非凡な、ほとんど不可能と思えるような目標を達成した人は、たいてい「幸運だった」「時と場所にめぐまれた」「生まれつき運がよかった」などと言われる。だが、世界的な大成功を収めた人たちと実際に会って話してみると、決してそうではない。そしてわたしが興味を持ったのは、どれほど信じがたい偉業を成し遂げた人も、第一歩はみな同じだということだった。

すなわち、「**目標の設定**」である。

たとえば、マイケル・ジョーダンに会ったときのことだ。わたしは、彼とほかのプレーヤーとではどこが違うのか、個人としてチームとしての勝利を積み重ねてこられたのはなぜなのか、とたずねてみた。最高のプレーヤーになれた理由は何なのか。天賦の才能か。技術か。それとも戦略なのか、と。

マイケルは答えた。「才能のある人はたくさんいるし、もちろん、わたしもそのひとりだと思っている。しかし、人生を通じてほかのプレーヤーと違っている点は、わたしはつねにナンバーワンになろうとしてきたことだ。わたしは、なにごとについても二番手では我慢できないのだ」

マイケルの、あの恐るべき能力はどこからでてくるのか、わたしも不思議だった。大きな転機は、マイケルが高校一年生のときにやってきた。一時的な敗北が、彼を大きな目標へと駆り立てたのだった。

ほとんど知られていないことだが、あのマイケルは——エア・ジョーダンと呼ばれ、NBAの大スターとなり、史上最高のバスケットボール選手と讃えられ、バスケットボールのあり方を変えたとまで言われるあのマイケル・ジョーダンは——高校の代表チームに入れてもらえなかったのである。

ある日、レイニー高校ブキャニアーズの選に漏れたマイケルは、家に帰って一日中、涙に暮れた。これほど大きな挫折を経験すれば、バスケットボールをあきらめても不思議ではなかった。だがマイケルは、逆にこの辛い経験を燃え上がる意欲に変え、さらに水準の高い、大きな目標を設定した。それは本物の、パワフルな決断だった。このときの決断がのちにマイケルの、そしてバスケットボールというスポーツの運命を変えることになる――マイケルは、学校代表に選ばれるだけでなく、最高のプレーヤーになることを決断したのだ。

この大いなる目標を達成するためにマイケルは何をしたか？　それは成功する人なら誰もがすること、すなわち、目標を設定したら即座に、そして猛烈に行動を開始したのである。

二年生の夏を前にマイケルは、チームのコーチだったクリフトン・ヘリングに援助を求めた。毎朝六時、ヘリング・コーチはマイケルを車でコートまで連れて行き、特訓を施した。この時期、この開花直前の若者は、身長一八五センチにまで成長した。しかも、目標を達成しようという強い思いから、なんとか身長を伸ばそうと、毎日学校の鉄棒にぶら下がっていたのだという。それが代表チーム入りに役立つと思ったからだ。

マイケルは練習を重ね、時がきて、代表チームに選ばれた。

それから一〇年以上経って、シカゴ・ブルズのコーチ、ダグ・コリンズがマイケルを評してこう言った。

**「よく準備した者ほど幸運に見えるものだ」**

しかしマイケルは、高校の代表チームに選ばれた時点で、すでにそのことを証明していたのである。

なかには目標の設定を恐れる人もいる。がっかりしたり失敗したりすることを考えるからだが、そういう人はわかっていない。目標を達成することよりも、目標を設定して、その達成のために猛烈に行動することのほうが何倍も大切なのだ。**目標を設定するのは、それによって人生のフォーカスを作りだし、自分の望む方向へと動きだすためだ。**突き詰めて言えば、目標が達成できたかどうかよりも、その目標を追求するなかで、あなたがどういう人間になったかの方が、はるかに大切なのである。

もちろん、目標を選べば人生の方向が変わると言っても、最初はほんのわずかの違いでしかない。大海原を行く貨物船のようなものだ。船長がほんのわずか針路を変えたとしても、すぐには何も変わらない。しかし何時間、何日と経つうちに、その針路変更によって、船はまったく違う目的地に着くことになる。

かつてのわたしは、ゴミの山から抜け出すために方向転換を繰り返し、何度も何度も目標設定をし直す必要があった。肉体をシェイプアップすることや自信をつけることも含め、そうした目標のすべてに向かって頑張るなかで、わたしはとてつもなく重要なことに気がついた。それは、成功するかどうかはわたしがベストを尽くすかどうかにかかっている、それも、たまに頑張るのではなく、つねにベストを尽くすかどうかにかかっている、ということだった。

成功する人は例外なく、つねに全力を傾けて、少しでもよくなろうとしている。単にうまくいっているというだけでは決して満足せず、つねにもう一歩上を求めていく。「継続的な、終わることのない改善《コンスタント・アンド・ネバーエンディング・インプルーブメント》」というこの哲学を、わたしは英語の頭文字から「CANI!《カナーイ》」™と名づけた。これを信じ、全力を傾けて実践していくなら、あなたの生涯にわたる成長、すなわち本当の幸福の源は、ほとんど保証されたようなものだ。そしてもちろん成功も、だ。

もちろん「CANI!」は、どんなことでも完璧にできるという意味ではないし、すべてが即座に変わるということでもない。成功する人たちは「切り分け」の威力を理解しているから、一度にかみ砕けないほどの量を口に入れたりはしない。大きすぎる目標は、まずかみ砕ける大きさの、達成可能な「小目標」に分けていく。そうやって、最終的に自分の望む成功へとつなげていくのだ。

しかし、小目標を設定するだけでは十分ではない。その小さなステップの一つひとつについて、達成を喜ぶことが大切だ。それによって勢いがつき、努力が習慣化して、徐々に夢が現実に近づいていく。まさに「千里の道も一歩から」である。

ところが、この言葉は誰もが知っているはずなのに、いざ目標設定というときになると、つい忘れてしまう。あなたが、自分の望む方向にほんの一歩進んだことで、最後に自分を褒めたのはいつのことだろう。二〇キロ近くやせたときのわたしは、わずかな成果があっただけでも自分を褒めた。最初は、食べ物の乗った皿を向こうへやるだけでも苦しかったからだ――できた、すごいじゃないか！

だから、たとえば今日、五人の人と会い、ずっと考えていた転職の話をして、決断の助けになる情報を得られたとしたら、それは一歩どころか五歩前進だ。たとえ今日の時点で転職が実現しなくても、新しい方向へ動いていることになる。過去の行為で未来の行動が決まるのではないということを、思い出してほしい。

有名な詩にあるとおり、あなたこそがあなたの運命の主《あるじ》であり、あなたの魂の司令官だ。すべてはあなた次第。目標の設定をためらってはいけない。今すぐ、あなたの船の舵を回そう。顔を上げれば、すぐ目の前に、あなたの未来はあるのだから。

## 闘うに値するだけの未来を思い描く

意気消沈しているときや恐怖に襲われたときにでも、行動を起こせる人がいる。大きな障害があっても克服できる人がいる。ふつうの人間が敗北と呼ぶもののなかから、何度でも立ち上がってくる人たちがいる。なぜそんなことができるのだろう。

それは、彼らには闘うに値するだけの未来があるからだ。行動を起こさずにはいられないほどの未来が。

友人のW・ミッチェルがいい例だ。ミッチェルはバイクで大事故を起こし、全身の三分の二に大やけどを負った。病院のベッドでミッチェルは、それでも、なんとかして周囲の人の役に立とうと決断した。顔には本人だと見分けられないほどのやけど痕《あと》が残っていたが、自分の笑顔で世界を明るくできると信じた。そして実際にそうなった。ミッチェルは、自分には人を元気づけ、人の言葉に耳を傾けて慰めることができると信じた。そして実際にそうなった。

数年後、ミッチェルはまた事故に遭った。今度は飛行機事故で、下半身が麻痺してしまった。だがミッチェルは、それであきらめるどころか、入院中に美しい看護師と出会った。「どうすれば彼女とデートできるだろう」。友人からは、頭がおかしいと言われた。本人も心の中ではそう思っていたかもしれない。しかし、ミッチェルは夢を捨てなかった。

ミッチェルは、その女性とのすばらしい未来を思い描いた。自分の魅力、すぐれた知力、自由な心、行動的な性格、それらを総動員して彼女の気持ちを惹きつけ、ついに結婚へとこぎつけた。同じ状況になっても、ほとんどの人は、やってみようとさえしないだろう。だが、彼は遠い星に向かって手を伸ばし、人生を大きく変えてみせた。

では、ミッチェルはどうやって、「行動を起こさずにはいられないほどの未来」を描いたのだろう。

彼はまず、自分でも本当に達成できるとは思えないような大きな目標を設定した。そして、何があってもその目標を実現すると決意した。次にそれを小さな、かみ砕けるサイズの塊《かたまり》に分けていって、実現できると信じられる大きさにした。そのうえで、わずかな、ほんの少しの行動を毎日必ず実行し、だんだんと、よりダイナミックな行動ができるようになっていったのだ。

あなたも、本当にやる気のでる目標を選べば、内なるパワーを解放することができる。そのパワーは周囲の想像をはるかに超える。大きな目標を設定することで、信じられないほど大きく成長する機会を、自分で自分に与えることができるのだ。

勝つためにはまず始めること。

――無名氏

みなさんも思い当たるだろうが、いつも混乱して霧の中をさまよっている人たちがいる。こちらへ行ったかと思えばこんどはあちら。何かを始めたと思ったらもう別のこと。一本の道を行ったと思ったらすぐに引き返してきて逆を行く……。こういう人たちの問題点ははっきりしている。自分の求めるものがわかっていないのだ。標的が何かを知らなければ、それを射抜くことなどできない。

**あなたに今必要なのは、夢をいだくことだ。**しかしそれは、全身全霊を傾けた夢であることが絶対に必要だ。ただこの本を読み飛ばしたのでは意味がない。ちゃんと机に向かって、自分の夢を紙に書き出してみよう。

どこか快適なところ、安心できて、完全にリラックスできるところへ行こう。最低でも三〇分はかけて、自分がなりたいもの、分かち合いたいもの、見たいもの、生み出したいと思うものを見つけてほしい。

この三〇分は、あなたの生涯でもっとも価値ある三〇分になるかもしれない。この三〇分であなたは、目標設定の方法を学び、求める結果の決め方を身につける。生涯をかけて旅したいと思う道の、その地図を作る。そして自分がどこへ行きたいのか、どうすればそこへたどり着けるのかを考えるのだ。

最初に大切なことを言っておこう。可能性に限界を作ってはいけない。**絶対に失敗しないとわかっていたら、あなたは何をするだろう。**少し時間をとって、この問いに真剣に答えてほしい。**絶対に成功するという確信があるなら、あなたは何を追求し、どんな行動をとるだろうか。**

具体的に考えてみよう。細部まではっきりしていればいるほど、結果を生み出すパワーは強くなる。リストアップするなかには、あなたが長年思い描いてきたものも含まれているだろう。逆に、夢にも思っていなかったものもあるだろう。しかしそのなかから、あなたは、自分が本当に求めるものを決断する必要がある。なぜなら、自分の望みを知っているかどうかで、実際に何が手に入るかが決まるからだ。**この世界で何かを起こすためには、その前にまず、あなたの心の中で何**

**かを起こさせるのだ。**

**可能性に限界などない！**

この本の末尾には空白の一ページがあるので、目標設定のレッスンにはうってつけだと思う。

では、とりかかろう。

1、**クリスマスなどのホリデーシーズンだと思ってみよう。**たくさんの贈り物をあげたりもらったりするときだ。**大きな夢を描こう。**

まず、あなたの夢をすべて書き出してみよう。欲しいもの、したいこと、なりたいもの、分かち合いたいものなどすべてだ。

次に、人生の一部となってほしい人、感情、場所を想像してみよう。今すぐ机に向かい、鉛筆を持って、書き始めよう。どうすれば実現できるかを気にしてはいけない。**ただ書き出せばいい**。限界はないのだから。

2、書き出したものを眺めて、**いつまでにその結果に到達できそうか、見積もりを立ててみよう**。半年、一年、二年、五年、一〇年、二〇年。どれくらいの時間枠で行動するのかを見据えておくことが大切だ。

さあ、どんなリストができあがっただろう。今日すぐに欲しいもので埋まっている人もいるだろう。いちばん大きな夢ははるか遠い未来のこと——完全な成功が得られ、すべてが実現する完璧な世界のこと——だという人もいると思う。しかし、千里の道も一歩から、だ。

3、時間枠を決めたら、**今年中に実現できる目標を四つ選んでみよう**。あなたがもっとも力を注いでいるもの、いちばんワクワクすること、最高の満足を与えてくれるものを選ぼう。

次に、別の紙にその四つを書き写し、なぜ絶対に実現させたいのかも書き添える。「なぜ」という言葉は、「どのようにして」よりもはるかにパワフルだ。理由が十分に大きなものならば、実現方法は必ず考えだせる。

また、自分のことだけでなく、周囲の人のことも考えてみよう。あなたがその目標を達成することで、家族や友人にはどのような利益があるだろう。しっかりした理由があれば、この世でできないことなどほとんどない。

4、ここまでのことができたら、今度は、目標を達成するために**自分がどのような人間にならなければいけないか**を書き出してみよう。

もっと思いやりが必要だろうか。積極性だろうか。学校へ入り直す必要があるかもしれない。たとえば教師になりたいと思うなら、人の心に響く授業ができなければいけない。そのためには、どんな人物になればいいのだろう。

## 自分の脳を鍛える

わたしは、**何か目標を設定したときには、すぐにそれを支える行動をする**ことにしている。先にもふれたW・ミッチェルは、世界に貢献すると決めたその日から、会う人ごとに微笑むようにした。好きになった看護師にも、その日のうちにデートを申し込んだ。

だが彼のロマンスも、一夜にして花開いたわけではない。あなたも、一歩一歩前進していけばいい。もしあなたがあなた自身の親友だったら、すぐに目標が達成できないからといって、あなたを責めたりはしないだろう。

最後に、選んだ目標が実現に向かっていることを認識できるように、**自分の脳を鍛えよう。**

・一日二回、数分間、静かに座って自分の目標のことを考えよう。
・目標を達成した自分を想像しよう。夢が実現したという喜び、誇らしさ、興奮を感じてみよう。そのすばらしさを、その目で見るように、その耳で聞くように、細部まで想像してみよう。

さあどうだろう。すばらしい気分がしてくるはずだ。

ここまでのことを信じてもらえただろうか。信じるという人もそうでない人もいるだろう。半信半疑の人もいるに違いない。そこで、こうしたツールに本当に威力があることを、これから証明してみようと思う。そのためにゲームのようなものを作ってみた。苦しくてもやり抜くという決意で臨み、実際に最後までやりきれば、必ず、想像もできないような見返りがあるはずだ。

用意はいいだろうか。では、始めよう――。

# レッスン11　10日間メンタル・チャレンジ

この本のほかの部分では何もしなくても、**これだけはしてほしい！**　わたしはこれを「10日間メンタル・チャレンジ」と呼んでいる。このエクササイズのおかげで、わたしの人生は一八〇度変わった。なぜか。それは、**このエクササイズをやり抜けば、自分の意識をコントロールできるようになり、ネガティブな考えにまったくとらわれなくなる**からだ。

さあ、用意はいいだろうか。ゲームのルールはこうだ。

## 10日間メンタルチャレンジ

1、これからの一〇日間、マイナスの考え、感情、疑問、言葉、メタファーには一切しがみつかない。

2、もしネガティブなものにフォーカスを当てている自分に気がついたら——

きっとそうなるはずだ――すぐに、自分をいい状態に持っていってくれる質問をする。最初はレッスン6の「問題解決のためのクエスチョン」から始めよう。

3、朝、目が覚めたら「朝のパワーアップ・クエスチョン」をする。そして寝る前に「夜のパワーアップ・クエスチョン」。これで驚くほど明るい気分が持続するはずだ。

4、これからの一〇日間は、問題ではなく解決策にだけ意識のフォーカスを当てる。

5、じめじめした考え、疑問、感情などをいだいても、決して自分を責めないで、すぐに気分を変える。もし、それでも五分間以上そういう状態が続いた場合は、翌朝まで待ってもう一度、一日目からやり直す。

目標は、ネガティブな考えにとらわれずに、連続一〇日間を過ごすことだ。ネガティブな状態が長く続いたら、即座に「ふりだし」に戻る。それが何日目でも、もう一度やり直しだ。

この10日間メンタル・チャレンジの効果は、まさに驚異的だ。ぜひ体験してもらいたい。やり遂げれば、あとは見返りの連続で、止めようにも止まらなくなる。

ここでは四つだけ、その例を挙げておこう。

1、あなたの足を引っ張っていた心の習慣が、すべて見えるようになる。
2、あなたの脳が、パワフルで役に立つ代替物を探すようになる。
3、人生を変えられると知ることで、大きな自信が生まれる。
4、新しい習慣、新しい価値基準、新しい経験が生まれ、それによって一日ごとに成長し、人生がどんどん楽しくなる。

# エピローグ　思いやりの世界へようこそ

わたしが初めて10日間メンタル・チャレンジに挑戦したときは、二日ほどしかもたなかった。しかし、高い目標をあきらめず、成功するまでがんばり続けた結果、10日間メンタル・チャレンジは、わたしの人生を変える体験となった。だから自信を持って言い切れる。あきらめずに努力すれば、あなたにも、わたしと同じレベルの幸福が必ず手に入る。

そこで、今度は違ったタイプのチャレンジを紹介しよう。スペシャルな招待状と思ってもらってもいい。

この本の最初で、自分の問題を解決し、幸福を生み出す最良の方法は、もっと苦しい状況の人を助けることだという例を示した。コンサルタントとして、人生が困難だ、問題が解決できそうもないという相談を受けたとき、わたしが最初にすることは、その人の習慣的な考え方を中断させることだ。

わたしはごく簡単なことしか言わない。「一日か二日の間、あなたの問題を完全に忘れてください。今のあなたより辛い立場にいる人を探し、その人の状況が今よりも〝ほんの少し〟だけよくなるように手助けしてあげてください」

するとたいてい、自分以上の問題を抱えている人なんかいない、という顔をされる。だがもちろん、そんなことはない。仕事をなくしたのなら、子どもを亡くした夫婦のところへ行けばいい。生活が苦しいなら、路上でやっと生きている人たちがいる。昇進を逃して落ち込んでいるのなら、戸口の軒下に丸まって風雨を避け、慈善団体の炊き出しで飢えをしのいでいる人たちに会ってみることだ。自分が本当は幸運なのだということを忘れてはいけない。あなたが今、直面している試練よりもずっと困難な状況にいる人が、必ず何人もいるはずだ。

救いの手を差しのべることには二つの意味がある。

一つは、自分の問題を客観的に見られることだ。この人たちに比べれば自分の荷物など軽いものだという気持ちになるだろうし、人生最大のピンチに立ち向かっている人たちの、驚くほどの勇気をその目で見ることができる。状況を好転させる道は必ずあると思えるようになるはずだ。

二つめは、たとえその人の問題を「解決」してあげられなくても、たとえ相手をなぐさめ、思いやることしかできなかったとしても、何かを与えれば、必ずその一〇倍のものが受け取れるということだ。わたしはなにも、努力の見返りをもらえと言っているのではない。そんなことではなく、人間のもっとも深いところにある欲求、すなわち人の役に立ちたいという欲求を開発しようと言っているのだ。何の見返りも求めずに与えることで、究極的な人間の喜びと自己実現を体験できる。

だから、あなたもやってみてはどうだろう。難しい？　そんなことはない。これから二四時間以内に――なんなら一週間以内でもいい――誰か見ず知らずの人に「ほんの少し」の手助けを、「ほんの少しの」支援をしてみよう。

たとえば明日、電話帳で老人ホームや病気療養者向けの施設を探してみよう。仕事帰り、どうせラッシュに巻き込まれて車が動かないだろうから、その分の時間を利用して、見つけた施設に立ち寄ってみよう。係の者に自己紹介し、しばらく面会者のない人がいるか聞いてみる。家族のいない人、いても面会に来てくれない人に会わせてくれと頼めばいい。初めて会うときには、思い切りの笑顔で「こんにちは、はじめまして！」と声をかけよう。もしその人があなたと同じように嬉しそうな顔をしたら、思い切り手をとり合えばいいだろう。一時間ばかり一緒に過ごし、話をし、耳を傾けて、彼がどんな人で、今どんな状態なのかを聞いてあげるだけでいい。まったく見ず知らずの人が自分を気遣ってわざわざ会いに来てくれる。そのことが、ひとりの孤独な魂にとってどれほどの意味を持つか、考えてほしい。そしてそれ以上に、それがあなたにとってどんな意味を持っているかということを。

少なくともあなたは、自分の人生がどのようなもので、自分がどんな人間かということを思い出すはずだ。この体験は、人とつながり、人の役に立ちたいという、人間のもっとも気高くもっとも根本的な欲求を満たすはずだろう。

そしてあなたは変わる。

さあ、時間を取ってやってみよう。そうすれば、見返りを求めずに与えた者だけが受け取れる、すばらしい贈り物が、あなたのもとに届くはずだ。

もう終わりが近づいた。ここで個人的なお願いをしたい。これからは自分のことを精一杯、大切にすると約束してほしい。あなたが幸せであればあるほど、あなたは人に多くを与えられる。そしてできれば、自分を大切にするというレベルを超えて、非凡な人生を切り開いてほしい。それにはただ、平凡な生活を送りながら、ほんの少しだけ人の役に立ち、人と関わり、人を愛すればいいのだから。

この本で学んだことを使って、あなたやあなたの周囲の人たちの人生が改善されたなら、ぜひ知らせてほしい。あなたと直接つながれることを、心から楽しみにしている。

道がつねにあなたの前にありますように。
風がいつもあなたの背中を押してくれますように。
太陽があなたの顔を暖かく照らし、

雨があなたの畑にやさしく降り注ぎますように。
そしてふたたび会う日まで、
神様がその手のひらで、あなたをやさしく包んでくださいますように。
——アイルランドの古い祝福の言葉

神の祝福のあらんことを
アンソニー・ロビンズ

# 監訳者あとがき

河本隆行

# 「ウィ・ラヴ・ユー、トニー」

■監訳者あとがき

河本隆行
Takayuki Kawamoto

僕がまだロサンゼルスに住んでいた頃、トニー・ロビンズ（トニーはアンソニーの愛称）と言えば、真っ先に話に出てくるのが「ファイアー・ウォーク（火渡り）」と毎晩のようにケーブルテレビで放送されている彼のオーディオ・プログラムのインフォマーシャルでした。

「ファイアー・ウォーク」というのは、彼の代表的セミナーに「Unleash the Power Within（内なる力を解き放て）」という四日間のセミナーがあるのですが、その初日に全参加者を素足にさせ、メラメラと燃える炭火の上を歩かせる、というものです。

最初にこの話を聞いたとき、「サーカスの芸当を教えるセミナーなのかな？」などと勝手に思い込んでしまいましたが、実はそうではなく、彼の説明によると、「火の上を歩くということは一見、不可能なことのように思える。しかし、その不可能だと思っていたことを可能にすることによって、その人間の『Limiting Beliefs（自分で限界を決めてしまっている思い込み）』を破壊し、さまざまな『不可能だと思われていたこと』は思い違いでしかない、ということを理解してもらいたいんだ。自分の体の状態を変え、物事を考える焦点を変え、自分が使っている言葉を変えれば、すべては可能になる。僕はサーカスの芸当を教えているわけではないよ（笑）」

ということでした（詳しい内容が知りたい方は是非セミナーに参加されてみてください）。

つまり、彼は「ファイアー・ウォーク」という比喩を、人々が作り出す悪しき習慣である固定観念を粉砕し、本当に自分が求める、一見不可能のように思える夢の実現を手助けするために使っているのです。

もう一つのインフォマーシャルというのは、毎晩決まって深夜近くに放映されるトニー・ロビンズのオーディオ・プログラム宣伝のことで、この商品を買った方々が「このトニーのプログラムで自分は救われた」とか「トニーのおかげで自分は億万長者になれた」とか、涙あり笑いありで約三〇分も視聴者に語りかけ、トニーが涙まじりに「僕が君たちを変えたんじゃないよ。君たちが自分で自分を変えたんだ。僕はそのお手伝いができて嬉しいよ！」と、プログラム購入者たちとハグし合うのです。そして最後に司会者が「あなたもこの人たちのようにこのプログラムを使えば変われる。変わるのは今！　さあ、電話の受話器を取って、今すぐ注文して！」と語りかけるのです。

僕はとどめを刺されてしまいました。

そして翌日、ＣＤが二〇枚以上も入っているトニーのオーディオ・プログラムを初めて購入しました。

驚愕！　未だに彼の成功科学の存在を知った時の、魂の奮《ふる》えが体に残っています。結果、この自分への投資が僕の運命を劇的に変えます。

トニーのセミナーに参加したい！　彼の愛、情熱、そしてパワーをライブで感じたい！

その当時ロサンゼルスで暮らしていた僕は待ちきれず、一番早く参加できるマレーシアまで飛んで行くことを決断します。

そこで、僕はマレーシアで最高級のホテルに滞在することに決めました。「大金持ちのトニーが宿泊するとすればここだ。彼と直接話せるとすればここだ」と勘を働かせたのです。

セミナー初日の前夜、僕はそのホテルの日本食レストランでひとり、食事をしながら、「まあ、遅かれ早かれトニーに会えることだろう」と勝手に想いを描いていました。

「明確にイメージできるものは、現実になる」。トニーも自分のプログラムでそう言っていました。

お腹も満足した僕は、フラフラしながらそのレストランを後にし、ロビーに続くフカフカの絨毯《じゅうたん》の上で期待感を膨《ふく》らませ、客室用エレベーターに向かって歩きだしました。

と、そのとき、ロビーから二メートルを超える大男が、二人のボディガードらしき屈強な男性を両脇に引き連れて、こちらに向かってくるのが目に入りました。

トニー・ロビンズだ！

すぐに分かりました。しかしながら、テレビで見ていた彼よりも相当に表情が疲れ果てていて、かなり具合が悪そうでした。

「ミスター・ロビンズ？」。僕はためらうことなく彼に話しかけました。

すると彼は、「イヤー、ハウ・アー・ユー？　ナイス・トゥ・シー・ユー！」と満面に大きなスマイルを浮かべ、野球のグローブのような手を差し伸べてきたのです。

一瞬で彼の虜《とりこ》にさせられてしまいました。まるでマジックです。

二人のボディガードが目で「駄目だ」と合図していましたが、それを制し、トニーは僕に語り続けました。

涙が溢れ出ました。

この人は神様なのか？　何という心地良さだろう。何という暖かさだろう。たった何分かの間に全身全霊を込めて、自分自身を見知らぬ他人に捧げる男。

これが、この本、『人生を変えた贈り物』の著者であるアンソニー・ロビンズです。

後日、僕をトニー・ロビンズの同時通訳者として抜擢してくれたセミナー主催会社のスタッフから伝えられたのですが、実はこのとき、彼はインフルエンザにかかっていて、四〇度以上の熱があったというのです！　げっそりと疲れ果てていたのは、長旅のせいではなく、病気が原因だったというわけです。

熱が四〇度以上もあったのに、どうやって彼は四日間のセミナーを乗り切ったのでしょう？（ちなみに、セミナーは早朝から深夜までノンストップで行われます）

そうです、もうお分かりですね。この本に書かれてある数々のスキルを使ったのです。

最初に、彼は、最後までこのセミナーをやり抜くために全力を尽くすことを決断しました。セミナーをやり終える以外に道を残さなかったのです。

そして、それが出来ると信じました。疑いや迷いはすべてを破壊してしまうからです。

持っていないものよりも、持っているものの方にフォーカスを当てました。彼には大勢の優れたスタッフが側にいました。彼には経験がありました。そして彼には、彼を待ってくれている大勢のファンたちがいました。

より良い言葉を使いながら内なる自分に質の良い質問をし、体の使い方を意識的にコントロールしました。彼はスピード感溢れる口調で話し続けました。そのうえ彼の体は、躍動感に満ちた動きで、ステージ上を所狭しと情熱的に動き回っていました。

結果的に、失神してもおかしくないこの身長二メートルの大男は、世界から集まってきた何千人ものセミナー参加者たちに最高の感動を「与えた」のです。

そして今、あなたもトニーと同じパワーを手に入れようとしています。

あなたの内に深く眠っている無限の力です。

その無限の力を手に入れるためにも、この本を何度も何度も繰り返し読まれることをお勧めします。

きっとあなたもトニー・ロビンズのように、常に成長し、世の人々に貢献する、愛に満ち溢れる「与える」人間になれるはずです。

最後に、そして最大の敬意を込めて、この本のクオリティを日本の読者の皆様に提供するためにありとあらゆる行動を起こされた成甲書房、適切な訳業で私の監訳作業をスムースにしてくださった立木勝氏、僕をトニー・ロビンズの世界にどっぷりと浸からせる切っ掛けを与えてくれたサクセス・リソーシーズ&スカイクエストコム社CEOであり我が師でもあるリチャード・タン氏、そして、親友である『与え名人』本田健氏へ、この場を借りて改めてお礼を申し上げます。

ありがとうございます。

そして、あなたへ、行動を起こしてくださってありがとうございます。もう一度言います。この本に書かれていることを行動に移すとき、あなたの中に眠っている無限の可能性は解き放たれるのです。そして、それは、あなたの家族、友人、同僚、社会へと広がっていきます。是非、あなたとあなたの愛している人たちの人生を傑作にしてあげてください。

そんな素晴らしいあなたに、いつか直接お目にかかれる日を心から楽しみにしています。

二〇〇五年五月吉日まだ見ぬあなたを想いながら

# アンソニー・ロビンズ・ファウンデーションについて

## アンソニー・ロビンズ・ファウンデーションについて

アンソニー・ロビンズ・ファウンデーションは、ホームレスの人々、恵まれない子どもたち、高齢者、受刑者につねに手を差しのべ、援助することを使命とするNPO（非営利法人）です。わたしたちの社会の重要な成員であるこうした人たちに、ファウンデーションの活動に参加するすべての人々が、励まし、教育、訓練、脳力開発といった最高の財産を届けています。

この組織は、アンソニー・ロビンズの長年の夢が現実となったものです。一八歳で初めて慈善活動を実践したロビンズは、その後もニューヨークのサウスブロンクスおよびブルックリン地区での救世軍やハワイおよびサンディエゴ地域でのホームレス支援など、幅広い活動を続けてきました（現在も個人的な活動として、サンディエゴ市ノース郡での社会事業に一年分の食料費を提供しています）。

## 「チャンピオンズ・オブ・エクセレンス」奨学金

アンソニー・ロビンズ・ファウンデーションがもっとも力を入れている活動に「チャン

ピオンズ・オブ・エクセレンス」奨学金があります。一九九一年にテキサス州ヒューストンの小学校を訪れた際、児童や教職員の姿に感動したロビンズは、他に例を見ない約束をしました。すなわち当時の五年生（一九九九年に高校を卒業するクラス）に対し、平均してB以上の成績をとり続ける、大学卒業まで一年に平均四三時間以上の奉仕活動をするなど一定の基準を満たし、勉学・人格ともに優秀《エクセレント》な生徒全員に、大学までの授業料を保証するとしたのです。子どもたちもこれに応え、自分たち自身が人を助ける側にまわるようになって、ほかの生徒に勉強を教えたり、保育所や保護施設でボランティア活動をするなど、さまざまな奉仕活動に参加するようになっています。

## 感謝祭バスケット部隊

一一歳の感謝祭の日にアメリカ的寛大の精神を体験したロビンズは、感謝のしるしとして、毎年この日になると、家族や友人とともに、恵まれない人たちに食料などの生活必需品を届けています。一九九一年にアンソニー・ロビンズ・ファウンデーションが設立されてからは、これが団体最大の行事のひとつとなり、ロビンズ個人の習慣から、北米大陸全土での活動へと広がりました。それが「感謝祭バスケット部隊」です。ボランティアのネットワークで運営され、年に一度、食料や衣服などの生活必需品を届けるこの活動は、毎年、合衆国およびカナダ全土の四〇〇以上のコミュニティーで、一〇万以上の家庭に援助の手を差しのべています。

## これからの目標

生命は贈り物であり、そこからまた誰かに贈られていくべきものです。幸いにして何かを与えることのできる者は、このことを決して忘れてはなりません。一人ひとりの貢献がまさに世の中をよくしていきます。今すぐ、わたしたちの活動に加わってください。恵まれない人たちが生活の質を向上させていくのを、一緒に支援していきましょう。

アンソニー・ロビンズ・ファウンデーションの宣言は、こうした活動を通じて現実のものとなっています。関心をお持ちの方は、下記までお問い合わせください。

The Anthony Robbins Foundation　888 Carroll Centre Road, Suite 112
San Diego, CA 92126　foundation@tonyrobbins.com

## アンソニー・ロビンズ・カンパニーズ（ＡＲＣ）

アンソニー・ロビンズ・カンパニーズは、共通の使命を持つ複数の組織連合として、生活の質の向上を真に求める個人および組織に貢献しています。人間の感情と行動を管理するための最新テクノロジーを提供することにより、一人ひとりが自己の無限の可能性に気づき、活用できるよう援助しています。

**ロビンズ・リサーチ・インターナショナル（RRI）**

アンソニー・ロビンズによるコンサルティングおよび個人の脳力開発ビジネスのうち、リサーチとマーケティングを担当する部門です。公開および企業セミナーを世界中で実施し、ピーク・パフォーマンスや財政金融から交渉術や企業リエンジニアリングまで、多岐にわたる内容をとりあげています。

RRIがもっとも力を入れている教育活動に、ロビンズが通年で開催している「マスタリー・ユニバーシティ」があります。二一世紀のリーダーシップを伝えるこのセミナーは、三部構成のコースとなっていて、世界各地の景勝地で開催され、湾岸戦争時に米中央軍司令官を務めたノーマン・H・シュワルツコフ将軍（＝リーダーシップ）、インド系スピリチュアリティやヒーリングで知られるディーパク・チョプラ博士（＝健康と精神）、株式投資で有名なピーター・リンチ氏やサー・ジョン・テンプルトン（＝財務）など、他に類を見ない、トップレベルのインストラクターが指導にあたります。このマスタリー・ユニバーシティには、これまでに四二ヵ国の方々が参加しています。

## アンソニー・ロビンズ・アンド・アソシエーツ

世界各地の地域コミュニティーや企業にマルチメディア関連セミナーを提供する、フランチャイズ制の販売代理店ネットワークです。フランチャイズに加盟することで、地域の中心となって人々に積極的な影響を与え、人々の成長を助けることができます。また研修などの継続的な支援が受けられ、認知度もアップするので、人々の暮らしを真に改善するビジネスを興すことができます。

## ロビンズ・サクセス・システム™（RSS）

フォーチュン一〇〇企業に、最新の経営システム、コミュニケーション、チームワーク・トレーニングを提供しています。RSSチームが徹底した事前診断、カスタマイズされたファシリテーションとトレーニング、プログラム修了後の評価とフォローアップを行います。一人ひとりのニーズに合わせたプログラムを提供するRSSは、世界のどの企業でも、社内活動の質を限りなく向上させ続ける触媒となるものです。

## フォーチュン・プラクティス・マネジメント（FPM）

フルサービスでの業務マネジメントにより、医療関係者に、実務の質と利益性を向上させるための必須戦略とサポートを提供しています。FPMは、医療および医師の生活の質向上に献身しています。

**トニー・ロビンズ・プロダクションズ（TRP）**

テレビ制作会社として、最上質で市場直結型のインフォマーシャル（情報提供コマーシャル）を制作し、全米に放送しています。過去もっとも成功したインフォマーシャルのうちの四番組は、TRPとのジョイントベンチャーです。スペシャリスト集団が、特別な視聴者のユニークなニーズを満たす番組を作り、プロモーションを展開します。

**ナマレ・フィジー・リゾート・アンド・スパ**

ロビンズ家では、一家をあげてフィジーへ行くのが長年の習慣です。この美しい島で人々がもっとも大切にしているもの、それは幸福です。ロビンズ家が所有するこのパラダイスは、四〇万平方メートルを超える熱帯の島にあり、手つかずのビーチがあり、どこまでも珊瑚礁が広がります。シュノーケリングやダイビング、水上スキー、乗馬のほか、テニス、バスケットボール、バレーボールなども楽しめます。冷たい滝に打たれることもできます。

この本を買うだけでひとりの人生を変えられる。
この本を読めば、あなたの人生が変わる。

アンソニー・ロビンズ・ファウンデーションは、ホームレスの人々、
恵まれない子どもたち、高齢者、受刑者を支援するＮＰＯです。
本書の著者印税は、すべて同ファウンデーションに寄付されます。

◉著者について

アンソニー・ロビンズ Anthony Robbins

1960年2月29日、アメリカ合衆国カリフォルニア州生まれ。貧困な家庭環境のため大学進学を断念、ビル清掃のアルバイトをしながら17歳からの2年間で約700冊の成功哲学や心理学に関する本を読破し、さまざまな講演やセミナーに参加、その後膨大に蓄積した知識と経験を活かした独自のスタイルでライブ・セミナーを展開し、24歳で億万長者となる。2メートルを超える長身からダイナミックに繰り出されるアクションで参加者を魅了する彼のセミナー・シリーズは、25年以上にわたり何千万もの世界中の人々に影響を与えつづけている。感情、健康、人間関係、ビジネスや経済、タイム・マネージメントのスキル・アップを提供する彼のオーディオ学習システムは現在までに3500万セット以上の世界的セールスを記録している。ビル・クリントン前大統領、故ロナルド・レーガン元大統領、投資家ジョージ・ソロス、クインシー・ジョーンズ、故ダイアナ元妃、テニス・プレイヤーのアンドレ・アガシなど、彼の教えを受けてきた世界的リーダーは多数。

www.anthonyrobbins.com（英語版のみ）

◉監訳者について

河本隆行（かわもと たかゆき）

1969年東京生まれ。25歳で単身渡米し、ＵＣＬＡ（カリフォルニア州立大学ロサンゼルス校）卒業。アンソニー・ロビンズやロバート・キヨサキなどの世界的スピーカーの同時通訳者を務める。

www.kawamototakayuki.com

# 人生《じんせい》を変《か》えた贈《おく》り物《もの》

## あなたを「決断《けつだん》の人《ひと》」にする11のレッスン


◉著者
アンソニー・ロビンズ

◉序文
本田《ほんだ》 健《けん》

◉監訳者
河本隆行《かわもとたかゆき》

◉発行日
初版第1刷　2005年6月10日
初版第3刷　2005年6月25日

◉発行者
田中亮介

◉発行所
株式会社 成甲書房

郵便番号101-0051
東京都千代田区神田神保町1-42
振替00160-9-85784
電話 03(3295)1687
E-MAIL mail@seikoshobo.co.jp
URL http://www.seikoshobo.co.jp

◉印刷・製本
中央精版印刷 株式会社





Printed in Japan, 2005
ISBN4-88086-184-7